Marie-Élisabeth ROUCHY

YVES MONTAND

Présenté par

André HALIMI

SOLAR

YVES MONTAND, TOUT AZIMUT

D'abord, un prénom court, agile, clair, lumineux ; puis un nom grave, profond, appelant la réflexion et à la fois qui chante.

La réunion de ce prénom et de ce nom sont comme l'alliance de la vivacité, et de la mesure. Ceux qui parlent de signes du zodiaque diraient « Taureau ascendant Gémeaux ». Yves Montand allie une certaine exubérance à une certaine tristesse.

Le choix de ses chansons en était déjà le signe évident. Il chante aussi bien « les Feuilles mortes » que « Sous son léger corsage qui fait du bruit, deux petits seins bien s[illegible]s, comme c'est joli... »

Au cinéma, même dualité. Il sait être grave dans « Z », accablé dans « César et Rosalie », émouvant dans « Vincent, François, Paul et les autres », drôle dans « le Diable par la queue », et carrément loufoque dans « le Grand Escogriffe ».

Sa palette est très large et c'est en cela que l'on reconnaît les grands acteurs. Il n'enfonce pas le même clou et ne fait pas du Montand comme d'autres, qui finissent par se caricaturer à force de jouer les mêmes personnages.

Il a aussi dans la vie sa sincérité, ou plutôt, comme tout homme, ses sincérités successives. Il se contredit car la société actuelle, avec ses mutations et ses propres égarements, facilite et suscite nos contradictions.

Aussi, c'est pourquoi je suis heureux que dans cette collection, Marie-Elisabeth ROUCHY lui ait consacré un ouvrage.

Policier, chef d'entreprise, escroc, camionneur, Robinson Crusoé ou truand, il interprète tout sérieusement en y mêlant quelquefois son humour ou en laissait apparaître son ironie quand il sent le personnage trop chargé ou pesant.

Yves Montand n'est pas un carriériste. Il ne s'est pas limité à tourner en vérifiant sa cote sur le box-office ou en ne tournant qu'avec des réalisateurs renommés.

Au contraire, il a donné sa chance à de jeunes réalisateurs comme Alain Corneau (« Police Python » et « la Manace », suscitant de jeunes vocations et aidant les jeunes acteurs à supporter des tournages difficiles ou hasardeux.

Chanteur, acteur, il est aussi le charme même. C'est qu'il aime les gens et cela se sent.

Quel plus grand hommage peut-on rendre à un acteur !

Le public le sent et le lui rend bien.

André HALIMI

Derrière le mythe, c'est aussi un homme qui apprend des mots par cœur, par peur de vieillir

1979 Montand a aujourd'hui 58 ans.

58 ans ! L'âge où les stars se retranchent généralement derrière des lunettes noires, derrière des silhouettes voûtées, un peu épaissies. L'âge où les vedettes fuient leurs regards fripés, leurs cheveux parfois plus rares, les plis amers du temps qui passe... 58 ans ! Certains s'accrochent désespérément à leur jeunesse, leurs succès passés, leur morceau de gloire. D'autres préfèrent couper court et c'est la tragédie. D'autres encore s'acheminent sagement vers la vieillesse et, paisiblement, ils se laissent engloutir dans un demi-oubli, un anonymat tranquille... Et puis parfois, il se produit un miracle. Yves Montand est de cette sorte de miracle.

Cinquante-huit ans. Quarante ans de carrière derrière lui et sa vie toujours devant. Comme un mythe indestructible. Puissant, vif, inatteignable. Chez lui les marques du temps sont comme des signes supplémentaires d'existence, de force, de talent... La silhouette ne varie pas. La lueur qui brille au fond des yeux, le sourire ont les mêmes pouvoirs qu'à cette époque si lointaine où il demeurait sur la Canebière, timide, arrogant, voulant à toute force arriver. Il chantait alors...

C'était la guerre, les privations, et Montand n'était alors qu'un fils d'immigrés, un Italien, un « babi ». Pourtant, à sa façon, c'était déjà une « star ». Il séduisait.

Quarante ans de carrière, de chansons, de milliers de spectacles et jamais le moindre signe de fatigue, jamais l'indifférence, l'habitude et si un jour la petite lumière s'est mise à clignoter, c'est alors seulement derrière le front de l'artiste qu'elle a jeté ses tristes lueurs. Le public, jamais, n'a rien deviné. Il est resté, il reste dans l'attente du rideau qui se lève et, qu'il voit Montand chanteur, arriver avec sa chemise marron, son pantalon marron et son large sourire un peu embarrassé, timide comme au premier jour, traqueur, charmeur, douloureux et chaleureux, toujours, et c'est l'ovation...

Des milliers de chansons, des kilomètres de pellicules, des rôles de tous les jours, et des rôles d'exception, Montand à lui seul est une page d'histoire, une histoire qui n'en finit pas, qui n'est pas prête de finir... Non, Montand n'est pas de ces acteurs vieillissants et désabusés, de ces monstres déchus dont on guette avidement les stigmates de fatigue et de faiblesse ; pas non plus de ces géants éclatants d'orgueil, bouffis de suffisance et dénués de la plus petite humanité. Yves Montand est avant tout, comme il l'a toujours été, un homme, un homme simple, un être humain.

Cinquante-huit ans ! Quand, pour certains, c'est l'heure où sonne le glas, l'heure où la vie s'effrite et tombe en poussière, c'est pour lui l'âge de la maturité, l'aube d'une nouvelle vie, plus belle encore.

Oh, bien sûr, Montand a changé. Bien sûr, depuis quelques années, les caméras ne renvoient plus l'image du jeune chanteur fringant qu'il était à ses débuts. Montand a changé. C'est vrai. Mais à la manière d'un Gabin, sans qu'il y ait jamais de regrets, toujours une reconnaissance et quelque chose en plus, un rayonnement plus intense, une assurance, le reflet d'une intégrité de plus en plus nue, de plus en plus éclatante.

Il arrive que certains films tuent parfois un acteur. Ils donnent tout ce qu'ils ont. A la fin du film, il ne leur reste rien. Montand, lui, épuise les rôles, comme si, les uns après les autres, ils lui conféraient un éclat supplémentaire, une nouvelle expression, un visage qui n'en finit plus de rendre son âme... Montand n'a jamais rien emprunté au catalogue des clichés cinématographiques, aux « must » de celui du music-hall. Les rôles, les interprétations, il les a toujours recherchés en lui, à force de travail, de volonté, de sobriété, obnubilé par le désir d'aller loin, plus loin, encore plus loin dans la vraisemblance. Il se laisse mourir de faim, de froid et de misère morale pour tourner « L'Aveu » ; des nuits entières, il dormira à même le plancher, des jours entiers, il ne desserrera pas les dents. Il est devenu Arthur London. Yves Montand, l'homme qui habite le petit appartement au rez-de-chaussée de la place Dauphine, n'existe plus. L'acteur n'existe plus. Il n'est plus qu'un homme torturé, bafoué, trahi, même si vingt techniciens tourbillonnent autour de lui, si les caméras le mitraillent, même si... Montand n'est plus là ! Il émerge du tournage les traits tirés, le sourire crispé ; puis il se détend. Le visage de Montand rejoint celui de London et c'est un pas de plus dans la légende, un pas de plus dans une vie déjà dix fois vécue...

Avec Romy Schneider dans « Clair de femme » de Costa Gavras

Montand, à mi-chemin du monstre et du simple être humain ; rien de ce que recèle l'âme ne lui échappe ; il sait montrer son cœur, ses faiblesses. Il n'est jamais monté sur le trône des stars intouchables ; il s'y est toujours refusé.

Il garde dans ses veines la chaleur et la gaieté du soleil d'Italie, la fraîcheur des ruisseaux, la patience en face d'un paysage beaucoup trop aride, l'amertume d'un enfant d'émigré...

Montand, toujours à l'aise, toujours attachant, obsédant où qu'il soit, quoi qu'il soit, routier derrière le volant d'un trois tonnes, pauvre ou vagabond, un tricot de corps sur la peau, une canne à la main ou un chapeau melon sur la tête, une combinaison de coureur automobile ou encore un habit de bouffon... il a tout fait. Il peut tout faire. Rien ne colle à lui. Il adhère à tout.

Montand période noire. Montand période blanche, un train qui n'en finit pas de croiser des tunnels et de se battre pour la lumière ; un avion qui n'en finit plus de crever les nuages.

C'est vrai que Montand a changé. C'est un homme mûr. Les cheveux ont blanchi. Les épaules sont un peu plus voûtées. La force est là, pourtant, intacte. Il a une bonne tête Montand. Presque un copain ! Et puis il a toujours été près de nous à dire ce que nous ne pouvions dire, penser ce que nous n'osions penser ; un personnage familier qui, plus d'une fois, est entré dans nos maisons comme dans nos consciences.

58 ans. Et il habite place Dauphine. Et il lui ressemble. Entre deux bras de fleuve, elle contemple, immuable, le palais de justice. Elle se love contre les arbres et les vieux lampadaires, écoute la Seine couler. Elle a un charme un peu désuet, une beauté qui ne s'use pas, elle a la patine du temps qui passe. Elle lui ressemble...

Il a quelque chose de ces pierres, de ces arbres, une assurance tranquille, une sorte de sérénité. Il fait partie des éléments. C'est pour cela qu'il est si grand. 58 ans. Le charme infini de la vie...

Montand. Montand le chanteur « populaire », capable de toucher les riches comme les pauvres, les gens heureux comme les plus déshérités. Montand l'acteur, le comédien « engagé » qui n'hésite pas, jamais, à accepter un rôle difficile, pourvu qu'il l'estime juste, profitable et digne du public. Montand, un bloc de certitudes et de contradictions.

MONTAND, L'HISTOIRE D'UNE GENERATION

Quarante ans de carrière... L'histoire d'une génération ; le reflet des suivantes qui se mirent, se réfèrent, espèrent en cet homme-mythe dont la vie sonne comme une promesse, une éclaircie, une embellie.

Quarante ans de carrière ; autant d'années de travail, de lutte, de doute et de succès. A certaines heures quand la nuit descend, quand

Quarante ans de carrière, la vie qui commence

le rideau se lève et que la foule pousse son hourrah, c'est sans doute quarante ans qui sont lourds à porter... Quarante ans de tourmente dans un monde en pleine mutation, où les noms de Staline, Roosevelt, Mac Carthy, Khrouchtchev se sont souvent alignés à côté des mots « guerre », « violence », « intolérance », « liberté ». De nouvelles valeurs se sont greffées aux anciennes. Certains se sont battus pour elles. Montand est de ceux-là.

Il n'en parle jamais. Discret, Montand, comme les vrais mythes. Il reste secret, distant, lointain. Son âge, sa carrière, sa vie, il se contente de les posséder, presque un peu gêné... Le bruit peut-être ? Montand est resté un homme timide.

Timide comme il l'était enfant, comme l'était sa famille : les Livi (le vrai nom d'Yves Montand) venaient de loin, d'Italie, d'un petit village près de Florence, Monsumanno-Alto. Ils portaient sur leur visage et dans leur cœur le poids de l'exil, sa tristesse, le souvenir d'un paysage qu'il pensaient ne plus jamais revoir, les traces de brutalité d'un régime qui les avait chassés. Comment n'auraient-ils pas été timides ?

Non. Montand n'est pas né chanteur ou acteur comme certains enfants dont les parents ont, dès le départ, déterminé la carrière. Montand n'a rien d'un Sardou qui naît presque au milieu d'une représentation. Il

est en naissant ce qu'est sa famille, un homme de la terre, un artisan, un combattant. Le 13 octobre 1921 ne consacre pas la naissance d'un artiste ; seulement celle d'un homme de cœur, un homme consciencieux aux prises avec des idéaux de justice et de tolérance.

IL NAIT IMMIGRE

Pas de place pour le cinéma, la chanson, à Monsumanno-Alto : seuls y sont conviés pauvreté, misère, humilité, travail. Montand n'y restera guère. Pourtant ce village est sans doute l'une des clefs de son sourire d'homme, à la fois si las et si chaleureux. Il quitte Monsumanno-Alto tragiquement. Pour lui et sa famille, ce départ sera comme une marque au fer rouge ; une marque qui ne le lâchera pas pendant les vingt premières années de sa vie.

Car dès les années 1920, dans ce petit village comme dans toute l'Italie, c'est le cauchemar : le pays est devenu fasciste. Pour les Livi, le cauchemar se transforme en enfer : ils sont socialistes ; ils refusent de se soumettre ; alors, on les met à la porte, on les bat, on brûle leur maison. Il ne leur reste qu'une solution : l'exil.

L'exil et c'est Marseille après avoir rêvé des Etats-Unis. Le père s'embauche comme manœuvre dans une huilerie. Tout est à refaire.

Lorsque le drame se produit, Montand n'a que trois mois... Mais ses parents n'oublient pas. La mère, surtout, qui raconte inlassablement les fascistes, le départ forcé, l'Italie, la belle Italie si loin désormais...

Montand n'est pas né artiste. Il est né immigré...

PETITE ENFANCE : LA MISERE

La famille s'installe d'abord dans un petit pavillon de la banlieue nord de Marseille, puis ne tarde pas à émigrer dans le quartier des « Crottes » plus proche du port où les parents partent chaque matin travailler pour ne rentrer que très tard le soir. Le quartier est affreux, sale, empesté de l'odeur des usines avoisinantes.

L'appartement est très petit ; quant aux terrains de jeux, ils n'existent pas... et c'est dans la rue que le petit Yves fera sa première partie de « gendarmes et de voleurs ».

C'est la misère chez les Livi. C'est d'ailleurs la misère dans tout le quartier. La période sombre où la première préoccupation, la seule, est de manger. « C'était l'époque où les gens se battaient vraiment pour la bouffe ; le slogan du Parti, je me rappelle, c'était le pain, la paix, la liberté, le PAIN d'abord... » dira plus tard Montand. De fait, les repas sont plutôt frugaux. Et c'est plus d'une fois que les trois enfants Livi s'attableront le midi devant un unique œuf à partager et un bol de café au lait soigneusement coupé d'eau... Les vêtements sont rapiécés jusqu'à l'usure totale, les chaussures achetées une ou deux pointures plus grandes pour durer plus longtemps, la lumière économisée jusqu'à user les yeux... La misère, à l'époque, elle n'est pas honteuse ; on la porte au contraire fièrement, dignement ; elle ne prendra jamais chez les Livi le visage de l'amertume. Il arrive même parfois qu'elle devienne gaie tant la chaleur et l'amour règnent au sein de cette famille. D'ailleurs on espère toujours « en sortir ». On s'acharne à la tâche, le père travaille son français avec opiniâtreté, effectue des travaux supplémentaires, économise jusqu'à l'impossible, à la poursuite de son vieux rêve : remonter une fabrique de balais...

Non, la misère n'est pas sordide. Toute le quartier la partage fraternellement et puis les Livi on les aime bien. On sait pourquoi ils sont là, pourquoi ils ont fui le régime fasciste et on les respecte. Qui n'a pas fui quelque chose aux Crottes ? Les Français sont rares. On y rencontre surtout des Polonais, des Espagnols, des Arabes, des Italiens ! Une minuscule tour de Babel où chacun finit par baragouiner la langue de ses amis. Yves qui s'est découvert un copain arménien finit même par le parler couramment...

Doué pour les langues quand il s'agit d'aller se cacher dans les tunnels (son jeu préféré) avec ses camarades, Yves ne l'est guère à l'école. Pas dissipé, non, mais incorrigiblement rêveur... sage et absent. Son père a beau l'exhorter au travail, il ne se sent pas bien. Peut-être est-ce dû à sa qualité de petit émigré, les rares écoliers français ne lui font pas de cadeau : « Quand je suis allé en classe à l'école communale, j'ai senti que j'étais un enfant d'émigré. On me le faisait sentir. On m'appelait Babi et on me disait « Babi de con »... C'était aussi fort que ça et quand on est môme, on cherche à savoir pourquoi on vous donne ce surnom, et puis c'était sur un ton assez déplaisant et assez méchant... » à moins que tout bonnement, il se sente déjà attiré par autre chose...

En 1931, dix ans après le départ d'Italie, Giovanni Livi parvient enfin à remonter sa fabrique. Toute la famille participe à l'entreprise, toute la famille à l'exception d'Yves qui continue de fréquenter l'école. Il représente alors l'espoir : si tout va bien, il fera des études. La perspective ne l'enchante guère. Il n'aura, du reste, pas à l'affronter, le sort en ayant décidé autrement.

Un an après, l'entreprise fait faillite. Les dettes sont lourdes. Il ne faudra pas trop de toute une vie de labeur pour les rembourser. Le père et la mère retournent à l'usine. Julien entre chez les dockers, Lydia dans un salon de coiffure. Quant à Yves, plus question pour lui d'aller à l'école. Il doit travailler.

PREMIERS METIERS

Il a onze ans mais paraît déjà beaucoup plus que son âge. Alors on falsifie sa carte d'identité et on l'envoie à l'usine. Onze heures par jour, il se retrouve devant des kilos et des kilos de pâtes alimentaires qu'il lui faut enfiler dans des sachets de cellophane. C'est dur et, très vite, il oublie son monde de petit garçon, enfin un certain monde. Bien avant les autres, il fume ses premières cigarettes, arbore sa première casquette, s'exerce à employer le langage assuré des ouvriers qu'il côtoie chaque jour. Il crâne un peu Yves, que faire d'autre ? D'ailleurs, sous la gouaille qu'il affecte, il dissimule mal une timidité presque maladive, une sensibilité qui n'est pas très loin de la sensiblerie...

Son sort s'améliore un peu deux ans après, lorsqu'il rentre en qualité d'apprenti dans le salon de coiffure que sa sœur vient d'ouvrir. Un salon bien modeste, aménagé dans un petit garage de la « Cabucelle » où les Livi viennent d'emménager. Les tarifs sont modestes et les ménagères du quartier qui n'ont guère les moyens d'aller chez un véritable coiffeur y viennent se donner l'illusion, pour une heure, d'être enfin de grandes dames... La coiffure amuse Yves ; il finit même par la prendre suffisamment au sérieux pour prendre des cours, passer son C.A.P. et rentrer dans un vrai salon, à Marseille, chez « Yvonne et Fernand ». Là-bas, il fait le pitre, fait rire les clientes qui se prêtent volontiers aux fantaisies du jeune homme, se taille un petit succès dans les permanentes, les teintures, les frisures de toutes sortes. Ce mieux relatif, l'estime dont il se sent entouré ne lui suffisent pas et Yves, certains soirs, se sent très cafardeux. Il a le sentiment qu'il n'en « sortira pas »...

PREMIERS PAS DANS LA CHANSON

Il connaît la misère sous tous les angles. Il ne connaît qu'elle mais commence à se lasser des perpétuels efforts à fournir et qui semblent condamnés à rester à jamais sans échos. Il est las aussi de l'étouffante résignation de sa mère : « J'aimais beaucoup ma mère, mais je la trouvais trop terre à terre. Jamais un brin de folie. C'était toujours : mangeons vite, vite, vite, et allons nous coucher... Elle aurait voulu que j'aille toujours à l'usine, que je me marie dans le quartier. Elle avait le côté « mamma » des femmes italiennes qui aiment avoir leur famille sous la main. » Et Yves rêve ; il rêve d'autre chose devant la mer qu'il a appris à aimer ; rêve une autre existence aux horizons plus éthérés : il y serait autre chose qu'un tâcheron consciencieux...

C'est à cette époque de découragement, où la coiffure commence à lui sembler trop routinière, l'avenir pesant et sans surprises qu'il découvre le cinéma ; enfin, autre chose ! Le jazz, Harlem, Fred Astaire et les claquettes, le Far West, les films policiers... Yves est fasciné.

Pour entretenir cette fascination, il rogne sur tout, se prive de tout, cigarettes, tramway... Pour rien au monde, il ne raterait une représentation au « Star »...

EN ROUTE POUR LA CHANSON

Et puis il entend pour la première fois Maurice Chevalier. Charles Trenet, c'est un nouveau choc, une nouvelle émotion. Comme ça, pour le plaisir, il se met en devoir d'apprendre leurs chansons, comme il s'amuse à imiter « Donald Duck », le canard de Walt Disney. Pour le plaisir ou simplement parce qu'il se sent sur la bonne voie...

Tout le monde profite de sa nouvelle passion, les clientes du salon, les amis, la famille et si tous rient de bon cœur à ses exhibitions, personne ne songe à le prendre au sérieux, Yves moins encore que les autres. Et le petit succès qu'il se taille à l'occasion d'un des galas qui ont lieu chaque dimanche sur la place de la Cabucelle pour les habitants du quartier ne change rien à l'affaire. Tout le monde est flatté mais nul ne songe qu'Yves vient de faire ses premiers pas dans sa carrière de chanteur. Pour tous, il ne s'agit que d'un pari qu'Yves a gagné brillamment.

Tous, sauf Berlingot, l'organisateur du spectacle, qui flaire le talent, non qu'il trouve à Yves une voix parfaite, bien au contraire, ni du génie mais sa présence et son dynamisme lui semblent de bon augure. Quant à l'intéressé, il est tout éberlué de ce qui vient de lui arriver. Il n'a chanté que pour relever le défi de son frère Julien agacé de le voir mépriser aussi profondément les artistes de seconde zone qui viennent se produire chaque semaine et ulcéré de l'entendre répéter à qui voulait l'entendre qu'il était capable de faire dix fois mieux. Il ne s'attendait pas à ce qu'on lui fasse un accueil aussi chaleureux. D'abord, la veille, il s'était rendu compte aux répétitions qu'il chantait complètement faux ; ensuite sa timidité naturelle lui avait soufflé qu'il allait être la risée de tous les spectateurs. Il ne s'attendait pas non plus à ce que Berlingot, enthousiaste, lui propose de continuer chaque dimanche, pas plus qu'il n'espérait recevoir un cachet aussi énorme que celui qui lui est offert : 50 F ! De quoi se payer des cigarettes pour une année...

Il n'y croit toujours pas, Yves, lorsqu'il retourne au salon de coiffure le lundi. Ravi, certes, ébranlé, évidemment mais de là à

Montand sur scène : pantalon marron, chemise marron, une tenue qu'il n'abandonnera jamais

s'imaginer chanteur pour de bon, il y a un grand pas. Il va le franchir le jour où, tout à fait sûr de son nouveau protégé, Berlingot lui offre de passer à « l'Alcazar ». A l'époque, c'est le grand théâtre de Marseille. C'est là que Fernand Sardou, Fernandel ont débuté leur carrière. C'est là aussi que certains sont partis la queue basse, boudés par le public. Il est ému Yves, il sent que tout va se jouer. Alors brusquement il se met à y croire et se lance.

Premier point, il lui faut un nom. Ivo Livi, ça ne sonne pas assez bien ; il deviendra Yves Montand. C'est un clin d'œil à sa mère qui, petit, l'appelait dîner en criant dans son mauvais français « Ivo... Monta ! » ; c'est aussi un clin d'œil à l'Italie, et à son village natal, Monsumanno-Alto.

Deuxième point, il lui faut réviser sérieusement son répertoire qui s'est limité jusque-là à « On est comme on est » de Maurice Chevalier, « La vie qui va » et « Boum » de Charles Trenet, plus une imitation de Donald Duck.

C'est un ami musicien aveugle, Charles Humel, à qui il a confié son amour des cow-boys qui lui compose la chanson avec laquelle il s'impose à « l'Alcazar », « Les plaines du Far West ».

Dernier point, enfin, le costume. Il entrera en scène en tenue de cow-boy.

A « l'Alcazar », c'est un triomphe ! Bien sûr, les habitants de la Cabucelle, qui se sont déplacés massivement pour le voir, y sont pour quelque chose mais ce renfort amical ne suffirait pas à impressionner un public aussi exigeant que celui du grand théâtre de Marseille. Il fait à Yves un accueil délirant...

Montand, pour la première fois, entrevoit que, peut-être, il va pouvoir en sortir. Enfin !

Le mirage dure peu. C'est l'année 39, le début de la guerre et Julien doit partir au front. Plus question de chanter. Yves doit faire vivre sa famille ; il lui faut trouver un travail sérieux.

Il devient « frappeur » aux Chantiers de la Méditerranée. Le travail est dur, pénible, à la limite de ses forces, mal payé. Et puis quelle désillusion après ce qu'il vient de vivre. Heureusement, il y a entre les ouvriers qui l'entourent une chaleur, une amitié que le rassérènent et qui vont le marquer indélébilement...

S'il est depuis toujours nourri des idées socialistes — son père n'a jamais cessé de militer depuis son arrivée à Marseille, et Julien est membre actif du parti communiste depuis 1933 c'est seulement à cette époque que Yves s'engage politiquement. Il ne le reniera jamais malgré toutes les déceptions qu'il pourra éprouver.

1939, mauvaise année pour les Livi. Six mois après son engagement aux Chantiers de la Méditerranée, Yves est mis à pied. Motif :

Montand, le militant du cinéma ? Cela ne l'empêche pas de tourner des comédies comme « Le grand escogriffe » de Claude Pinoteau

DOGANA
DOUANE

une compression de personnel. On apprend que Julien a été fait prisonnier... C'est le chômage, le marasme, le temps des petits travaux sur les docks, le temps des promenades pour tuer le temps, des questions... Yves ne va pas s'en poser longtemps. Il est convoqué par les Chantiers de la Jeunesse et part pour Hyères.

Triste expérience pour ce Marseillais d'adoption, volubile, habitué aux effusions, à l'amitié. Il se retrouve dans une solitude absolue dans un baraquement à peine décent, occupé à des tâches qui lui pèsent, en compagnie d'étrangers dont l'indifférence le blesse... On est bien loin de la camaraderie des Chantiers.

A plusieurs reprises, il exerce tout de même ses talents de chanteur à l'occasion de fêtes improvisées et, c'est décidé à réussir, à en finir avec les catastrophes de tout bord qu'il rentre à Marseille, fin 40, son service achevé...

UN DEFI ! REUSSIR

Réussir. C'est devenu une idée fixe. Il deviendra Yves Montand chanteur, car c'est bel et bien dans la chanson qu'il veut faire carrière. C'est avec elle qu'il se sortira comme il le dira plus tard de « sa merde d'émigré ». La chanson que, paradoxe, il a longtemps considérée comme l'art le plus négligeable, le plus dérisoire qui soit : « Jusqu'en 38, je détestais les chanteurs. Je les classais dans une catégorie que j'appelais les invertébrés, c'est-à-dire un garçon joli-joli du genre « écoutez ma voix ». Les guignols du fond de teint, les bellâtres montant sur scène m'emmerdaient au plus haut point. Je trouvais qu'ils chantaient bien, très joliment, mais çe ne m'intéressait pas. Par contre, j'aimais bien Chevalier, Armstrong, et puis un jour, j'ai eu une grande révélation en entendant Trenet. A cause de Trenet, et pour mon plaisir, j'ai chanté. »

Réussir. Le défi peut ne pas sembler extraordinaire en 1980. En 40, si beaucoup s'essayent à la célébrité, très peu y parviennent. Et pour Montand, plus que pour d'autres, la route ne s'annonce pas facile. S'il est à peu près convaincu de son talent, il sait qu'il a à lutter avec un ennemi de taille pour arriver : la timidité ; et timide, il l'est plus que tout autre : « J'ai toujours été d'une timidité presque maladive et j'ai essayé d'en guérir. Par exemple, quand je prenais le tramway à Marseille, fatigué ou non, je restais debout sur la plate-forme, même s'il y avait des places assises à l'intérieur. Je n'osais pas ouvrir la porte à glissière, pour voir tous ces gens lever les yeux sur moi. Un jour, je me suis dit : « Ça suffit comme ça. Tu vas tirer ta porte à glissière. Si on te regarde, tu regarderas droit dans les yeux. » Je ne suis pas passé tout de suite à l'action. Mais j'ai fini par pousser cette sacrée glissière. Les gens m'ont regardé, machinalement d'ailleurs. Je les ai fixés, moi aussi, en tremblant. Ils ont baissé les yeux. J'ai senti une grande bouffée d'orgueil. C'était ma première victoire. Je me suis assis, comme un pape, sur ma banquette. C'est ça le trac finalement. C'est le premier choc que j'ai eu. De la même manière, jamais je ne serais entré dans un bar ! »

Il luttera donc. Mais son plan ne s'arrête pas là. Il sait que pour arriver à ses fins, il lui faut perfectionner sa voix, ses gestes ; surtout, il lui faut se trouver un imprésario, plus puissant que ne l'est Berlingot et capable de le lancer. Yves se jette tête baissée dans la bataille, s'inscrit à des cours de danse, des cours de chant — ses expériences précédentes ne lui ont que trop prouvé qu'il chantait faux, avec un accent très prononcé — Il ira même jusqu'à prendre des leçons d'anglais, lui l'ancien écolier minable, il s'y sent tenu par son répertoire. Ses efforts sont récompensés puisqu'à la même époque il fait la connaissance d'Audiffred qui devient son imprésario.

Audiffred lui décroche d'abord quelques passages en attraction, à l'entracte des séances de cinéma puis ne tarde pas à l'intégrer au spectacle dont il s'occupe, une revue assez rythmée intitulée « Soir de folie » qu'il fait tourner dans tout le Midi de la France, la banlieue marseillaise, Nice, Toulon, Toulouse, puis bientôt Lyon, Bordeaux... Sur les affiches de « Soir en folie », on placarde : « Yves Montand, de la dynamite sur scène !... » et Yves sent que s'il est loin d'avoir atteint la célébrité, il est désormais classé parmi les bons chanteurs. D'ailleurs, le public qui vient l'applaudir ne le découvre plus, il vient en connaisseur.

Yves Montand fait rire. Il détend dans cette atmosphère de guerre où les mauvaises nouvelles affluent, où l'horreur déferle sur le monde entier et où tristesse, privation sont devenues le pain quotidien de milliers de gens. Il leur rend parfois courage avec des chansons de Trenet comme « Le père », « Espoir », « Douce France » timidement militantes, qu'il a rajoutées à son répertoire.

Si on oublie parfois la guerre en allant l'applaudir, la guerre, elle, n'oublie pas Yves Montand. En 44, il est convoqué pour le S.T.O., une perspective qui n'a rien pour l'enthousiasmer au moment où il commence tout juste à prendre une petite importance dans son métier. Du reste, il ignore les avertissements qui lui sont envoyés et c'est dans la plus parfaite illégalité qu'il se retrouve un beau jour avec comme seule alternative, se constituer prisonnier ou se cacher !

La première solution ne lui sourit guère et comment brouiller mieux les pistes qu'en se lançant au grand jour à la conquête de Paris, Paris dont il rêve depuis déjà plusieurs mois...

Oui, mais pour cela, il faut décrocher un contrat ! Et puis surtout il faut convaincre la famille... La famille qui s'est tue jusque-là mais qui considère d'un œil plutôt sombre la carrière imprévue du petit dernier ; il faut surtout convaincre Giovanni, le père, que Montand admire éperdument et dont il ne supporterait pas la désapprobation. Or, pour Giovanni Livi, chanter équivaut presque à renier sa classe... Il lui faut beaucoup d'amour, une très grande largesse d'esprit pour accepter de conclure le marché qu'Yves lui propose : « Si dans un an, il n'a pas réussi à s'imposer, il retournera à l'usine... »

Le problème familial réglé, reste le contrat ! Audiffred le lui décroche sur les vertus de l'affiche « Soir de folie » : il passera à l'A.B.C. en première partie d'André Dassary...

L'aventure commence.

PREMIERS CONTACTS AVEC PARIS

Yves va devoir affronter le public parisien qui ne le connaît pas et qui n'a même jamais entendu parler de lui ! C'est le grand trac d'autant qu'à peine sur scène, le premier soir, il voit la moitié des spectateurs se diriger ostensiblement vers la sortie. Se désintéresse-t-on de lui ? Affolé, il en rajoute tant et tant qu'il finit sous un tonnerre d'applaudissements... pour apprendre à la fin du spectacle que les fuyards qui l'ont tant effrayé n'étaient que des peureux craignant de rater l'heure du couvre-feu !

La première manche semble gagnée. A un détail près. Quelqu'un dans la salle l'a traité de « zazou » à cause de sa veste à carreaux. Qu'à cela ne tienne, il revient le lendemain en arborant une nouvelle tenue de scène qu'il conservera définitivement dans ses tours de chant : costume marron, chemise marron, pas de cravate...

Il a effectivement gagné la première manche : les engagements dans les autres music-halls affluent et Montand passe simultanément au « Beaulieu », rue de Ponthieu, à « la Fête foraine » à Pigalle... Les bonnes critiques tombent les unes après les autres, comme celle de Michel Droit qui écrit dans « Opéra » : « Avec « Les plaines du Far West », « Il vendait des hot-dogs à Time Square » et « Il sortit son revolver », le tour de chant d'Yves Montand, ponctué d'interjections en « slang » de Brooklyn est peu orthodoxe. Mais les spectateurs applaudissent ce grand escogriffe en chemise à carreaux et chapeau de cow-boy qui a le toupet d'entrer en criant « Hello boys ! » comme si de rien n'était. En une minute, il établit le contact... »

Et durant ce temps, pas un seul contrôle dans une ville où les rafles deviennent horaires...

Yves est à Paris depuis près d'un an quand la France est enfin libérée : « Quand sonnèrent les cloches folles de la Libération, la ville me parut éclater. Je me sentais cette fois plein d'assurance, je voyais l'avenir en rose... » Un avenir dont il chante les couleurs à « Bobino » puis sur la scène des « Folies Belleville », partout... C'est chaque fois un triomphe : le répertoire de Montand devient un formidable passeport dans cette ville en liesse qui ne pense plus qu'à fêter les Américains...

C'est un Montand très sûr de lui qui accepte, à la fin de l'année 45, de passer au « Moulin Rouge », en vedette américaine d'Edith Piaf. Edith Piaf qui connaît à cette époque sa grande heure de gloire. Son nom est partout, sur toutes les lèvres, dans tous les spectacles, et s'il ne fait pas toujours l'unanimité, il ne laisse personne indifférent.

Yves ne l'a jamais entendue chanter mais ne professe pas pour elle un grand respect. Il la juge « snob » et trouve son style de chanson trop « populaire »...

Inutile de décrire sa rage lorsqu'il apprend que Piaf a exigé de le rencontrer avant de décider si oui ou non elle acceptait de se produire avec lui. Il est tellement ulcéré en se rendant à l'audition qu'il en oublie son animosité et se sent tout à coup prêt à lui en mettre « plein la vue »... Mais les compliments ne tombent guère nombreux de la bouche de la grande dame — encore se situent-ils sur le plan de la sympathie ! — et Montand qui se rengorge de l'effet qu'il pense avoir produit, est atterré par la sentence : « Ce que vous avez de bien ? Ce ne sera pas long ! La sincérité, la voix, un physique !... mais pour le reste ! »... (grimace explicite)...

La rage au cœur, peut-être déjà amoureux, Montand s'attaque au « reste ». Elle lui a dit qu'il fallait tout réapprendre. Soit ! Il s'exécutera ! Et c'est avec acharnement, avec violence parfois que le Yves Montand de la Cabucelle, l'amateur de Far West, le roi de l'imitation se met au travail et se prépare à devenir Montand, le grand, le vrai !... avec la même violence et la même détermination que celles avec lesquelles il vit son premier grand amour...

Avec son guitariste Henri Crolla

EDITH PIAF : PREMIER GRAND AMOUR

Avec Piaf, malgré la froideur de la première rencontre, Montand retrouve son passé : comme lui, c'était une enfant pauvre ; petite elle a joué dans les mêmes terrains vagues ; adolescente, elle a connu elle aussi les petits métiers sans espoir, comme lui, elle s'est battue pour atteindre la gloire... Il fait, avec Piaf, l'apprentissage de son charme. Lui, le garçon timide qui se sentait laid, gauche, mal à l'aise, elle lui dit qu'il est beau, qu'il est intéressant et qu'il lui plaît ! Il n'en revient pas ! « Depuis des années, je traînais une idée déprimante. Je pensais que j'étais irrémédiablement laid. Bête, moche et pauvre... »

Avec elle, il va de découverte en découverte sur son propre caractère, prend conscience de ce qu'il est, de ce qu'il pense, de ce qu'il veut, développe son côté perfectionniste, exploite davantage ses sentiments... Il prend sa mesure.

Jusque-là, si les femmes ne le laissaient pas insensible, très peu comptaient pour lui. Une seule, en réalité, l'avait préoccupé. Encore mesurait-il alors la futilité de l'objet de ses pensées.

Elle s'appelait Bruna.

Bruna... Il l'avait rencontrée dans un bar près du salon de chez « Yvonne et Fernand » où elle était serveuse, et soupirait de honte et de tristesse de ne pas savoir lui dire qu'elle lui plaisait bien... Mais Bruna se moquait pas mal du petit garçon coiffeur et si elle trouvait ses plaisanteries drôles lorsque le bar était vide, elle se désintéressait totalement de lui dès la fermeture des usines et l'arrivée des hommes, des vrais. Elle les aguichait avec toute la rouerie de ses dix-sept ans : « Bruna connaissait ses pouvoirs. Elle s'amusait follement à jouer les vamps du quartier. Elle aimait à surprendre le trouble qu'elle faisait naître chez les hommes et ce bref regard d'envie et de jalousie, tranchant comme un rasoir, qu'elle recevait des autres filles. Elle régnait absolument sur le bistrot et c'était pour ses beaux yeux que les buveurs faisaient les glorieux (...). Pendant les heures creuses, je parlais avec elle. Elle s'asseyait sur le coin d'une table et m'écoutait. La sortie des usines la transformait. L'attention qu'elle m'accordait exclusivement l'après-midi, elle la reportait équitablement sur tous les clients. Elle se débrouillait magnifiquement pour faire croire à chacun qu'il était le préféré. Je sus que j'en étais amoureux en constatant combien son manège me faisait mal. »*

Piaf n'a rien à voir avec Bruna. Elle est la générosité même et si elle exige beaucoup, elle veut tout donner en retour. Et puis derrière sa réputation de jeune femme déprimée, elle est d'une drôlerie et d'une fantaisie sans limites. Elle le déride, mais elle le fait aussi réfléchir. C'est avec elle qu'il s'intéresse de nouveau à la politique, à sa classe — non pas qu'il ait renié ses origines, mais il les avait mises entre parenthèses par timidité d'abord, par insouciance ensuite, par étourdissement aussi certainement...

---

* Du soleil plein la tête - Les Editeurs français réunis.

Elle lui présente des amis qu'il fera siens pour toujours, Aragon, Prévert... l'introduit partout.

Surtout, elle façonne le chanteur. Son premier geste sera de lui faire abandonner son répertoire de chansons américaines qu'elle juge trop lié à l'actualité, trop lié à la mode, trop aléatoire par conséquent. Yves est réticent. Ce sera l'occasion de leur première querelle : après tout, ce sont ces chansons-là que le public aime et qu'il réclame. Pourquoi ne les chanterait-il plus ? « Méfie-toi des modes. Prends des chansons pour toujours ! » lui répète-t-elle patiemment. Il finit par se rendre ; accepte de rencontrer des paroliers comme Loulou Gasté, Henri Contet, Jean Guigo qui lui écriront « Battling Joe », « Gilet rayé », « Luna Park » qui correspondent à son personnage sans dérouter le public. C'est encore pour lui que Piaf fait ses débuts de parolière avec « La grande cité », « Mais qu'est-ce que j'ai ? ». Grâce à elle encore que se crée le merveilleux trio Prévert-Kosma-Montand, le poète, le musicien et l'interprète...

Piaf a raison. Yves le sait tout au fond de lui, mais qu'il est dur de sentir la déception du public lorsque, après 4 ans d'absence, il revient chanter à Marseille. On ne reconnaît plus celui qui faisait tant rire et on lui fait un peu la tête... Montand ne se décourage pas, d'autant qu'à la même époque il fait la connaissance de celui qui restera son parolier le plus fidèle, Francis Lemarque et qu'avec les chansons de ce dernier, « Mathilda », « A Paris », « Qu'elle était verte ma vallée », il se sent des ailes. Il finit par imposer son nouveau style.

Un style qu'il refusera par la suite d'attribuer à Piaf : « Edith Piaf m'a fait gagner du temps. J'avais un tour de chant plutôt américain, cow-boy et gangster. Toute mon enfance en avait été bercée. A la longue, j'aurais changé moi-même mais elle m'a conseillé de me dépêcher. »

Leur idylle dure trois ans ; trois ans durant lesquels ils ne se quittent pour ainsi dire jamais ; trois ans que Piaf consacre à lancer l'homme qu'elle aime. Montand fait partie de tous ses spectacles, en vedette américaine d'abord, puis à égalité avec elle ensuite. Il la suit au cinéma où il fait ses premiers pas avec « Etoile sans lumière » de Maurice Blistène et « Silence antenne » un court métrage de René Lucot. C'est probablement encore à elle qu'il doit de recevoir un soir de janvier 46, au Club des Cinq, la visite d'un monsieur qui s'appelle Marcel Carné et qui lui propose le plus tranquillement du monde de tenir la vedette de son prochain film « Les portes de la nuit », en remplacement de Jean Gabin qui vient de se désister pour le rôle... Etourdiment, sans réfléchir, Montand accepte.

DEUX ANS D'ECLIPSE

L'euphorie va être de courte durée. Le film s'avère un échec total. Piaf le quitte, même le public du music-hall semble lui faire la tête ; ses chansons nouvelles ne plaisent pas ; elles sont tristes.

Déçu, douché, abandonné, Montand broie du noir. Il n'est pas très loin de penser que tout est perdu. Et si seulement la critique le laissait en paix ! Mais non, les mauvaises langues vont bon train : on feint de compatir ; ou bien on applaudit au contraire à ses échecs ; ou encore on glisse perfidement qu'il n'aurait peut-être pas dû abandonner Piaf comme il vient de le faire, qu'il s'en est servi mais qu'il s'en est débarrassé trop vite ! Montand serre les dents, ne dit rien. Ce n'est que bien plus tard lorsqu'on l'attaque encore à ce sujet qu'il se décide enfin à parler. C'est à Jacques Chancel qu'il se confiera. Non ! Ce n'est pas lui qui a quitté Piaf ; c'est elle : « Ce n'est pas moi qui suis parti. C'est elle qui m'a laissé tomber. Moi je ne suis pas parti du tout. J'ai eu même du mal. J'ai mis deux ans à m'en remettre. C'était la première vraie histoire d'amour que j'aie eue dans ma vie... Elle était merveilleuse, tendre, dévouée totalement, mais pouvait être cruelle à la minute où elle laissait choir quelqu'un. Car elle laissait choir les gens. Pour deux raisons : la première c'est parce qu'elle avait l'impression qu'il était plus intelligent de casser que de détruire. Et la deuxième, c'était parce que insconsciemment, c'était la seule façon pour elle de chanter aussi formidablement. Elle chantait merveilleusement quand elle était amoureuse, et elle chantait merveilleusement quand elle était déchirée. Parce que ça lui faisait de la peine de quitter quelqu'un... »

Non, Piaf n'était pas une fille sombre, violente, laide et caractérielle comme on se plaît à le dire : « Elle était très très jolie. Les autres gens ne l'ont peut-être découverte qu'à la fin de sa vie, quand elle était complètement défaite parce qu'elle avait pris de la drogue et qu'elle avait eu son accident d'automobile (...). C'était une fille extrêmement drôle avec laquelle j'ai vécu merveilleusement pendant deux ans... »

Deux ans... C'est la durée de l'éclipse de Montand. Deux ans de solitude et de doute. Piaf lui manque, c'est certain, mais pas seulement elle. Il n'a plus confiance. L'échec des « Portes de la nuit » de Carné est encore cuisant à sa mémoire. Il pense qu'il ne fera jamais plus de cinéma. Il ne parvient pas à faire admettre au public les deux chansons du film pour lesquelles il éprouve un penchant particulier, « Les feuilles mortes » et « Comme les enfants qui s'aiment ». Il cherche à faire passer à la radio des chansons comme « Battling Joe » qui sans geste tombent à plat. Enfin il se fourvoie littéralement dans une première expérience théâtrale, une opérette, « Le chevalier Bayard », un massacre !

1949 : YVES MONTAND RENCONTRE SIMONE SIGNORET. C'EST L'ANNEE DE LA CHANCE !

Coïncidence, fatalité, c'est en rencontrant celle qui va devenir sa femme que la chance sourit de nouveau à Montand. La chance, elle recommence à pointer le bout de son nez en 1949. Cela a commencé

Pour tous, Montand est devenu le « chanteur populaire »

par une invitation à chanter au mariage de Rita Hayworth et d'Ali Khan. Cela a été ensuite un retour triomphal au théâtre de l'Etoile où, enfin, le public s'est décidé à applaudir des deux mains « Les feuilles mortes ». C'est surtout en cet été 49, une jeune femme blonde, belle à crier, qu'Yves tient par la main et pour longtemps, Simone Signoret...

Elle va l'accompagner tout au long de sa carrière, et tout comme on a pu dire de Piaf qu'elle avait façonné le chanteur, on peut avancer de Signoret qu'elle est pour beaucoup à l'origine du Montand engagé... Simone Signoret n'a pourtant rien à voir avec le milieu ouvrier. Elle est née à Neuilly dans une famille plutôt bourgeoise, ni riche ni pauvre, libérale en tout cas et ne connaît rien de la véritable misère ; mais elle a sur Montand l'avance de l'assurance et de la culture et saura l'aider à l'heure où il souhaitera parler, agir...

En attendant, le 19 août 1949, à Saint-Paul-de-Vence, c'est le coup de foudre : « Il y a une cour ensoleillée à l'extrême, des vieilles maisons avec leurs écailles de tuile, une ronde de collines : c'est la Provence, et le vent est si soigneux qu'il ne remue rien. Au milieu de la cour, entourée d'impondérables colombes, il y a une jeune femme. Ses cheveux sont formidablement blonds. Elle porte un pantalon bleu, une chemisette à col ouvert. Elle sourit comme les jeunes filles des peintres italiens d'autrefois. Je sais qu'elle s'appelle Simone Signoret. Je n'ai jamais vu ses films, je ne la connais pas, mais je sais que je vais marcher vers elle en esayant de ne pas soulever les colombes, et lui dire deux ou trois phrases pour qu'elle se tourne vers moi, deux ou trois phrases sans effrayer les colombes... C'est un beau jour dont je ne me lasse pas à la lorgnette de vérifier un à un les détails immuables, les cheveux blonds, le crépitement du soleil, les colombes et la minute exacte où Simone m'a regardé venir vers elle. »

La jeune femme blonde en question a un enfant, une fille Catherine qu'elle a eue avec Yves Allégret. Elle vient de tourner « Dédée d'Anvers » et « Manèges ». Elle est au début de la gloire... la gloire à laquelle elle va tourner le dos, pour rejoindre ce garçon qui ose à peine lui parler mais qu'elle pressent comme l'homme de sa vie. Ça n'est pas sans larmes mais qu'importe. Elle sent qu'Yves et elle sont faits l'un pour l'autre...

Ils emménagent dans une petite boutique de la place Dauphine, moitié librairie, moitié salon de thé qu'ils installent en appartement. Ils ne le quitteront plus...

Simone lui ouvre des horizons ; elle, qu'il pare de toutes les vertus intellectuelles, qui sait tant de choses, et lui si peu...

Il se met à dévorer des livres pour rattraper son retard. Elle le conseille, le dirige un peu, tente de lui faire oublier ce manque de culture qui le complexera tout sa vie. Ce n'est pas contre elle mais contre tous les autres dont il ne supporte plus l'ironie qu'il affirmera : « Par respect pour Simone, c'est vrai, j'ai appris des choses. Mais dans notre couple, elle n'a pas été l'intellectuelle et moi le con comme on a pu le dire... »

Un écorché vif, Montand ? Rien dans son caractère ne le laissait supposer ; mais il faut dire que de Piaf à Signoret, la critique ne l'épargne guère. On connaît sa timidité, sa gêne à se lancer dans des discussions pour lesquelles il manque d'éléments et on en profite... Avec Simone, l'assurance qui lui fait tant défaut vient plus facilement et il est sans doute le premier étonné de se sentir autant en sécurité aux côtés de ce petit bout de femme d'apparence aussi fragile.

Yves et Simone se marient en décembre 51, à Saint-Paul-de-Vence. Ils ont 32 ans et entament tout deux l'une des années les plus importantes de leur carrière. Pour Simone Signoret, c'est le tournage de « Casque d'or » de Jacques Becker ; pour Montand, l'année 52 marque son retour au cinéma avec « le Salaire de la peur » de Henri-Georges Clouzot et sa consécration définitive au music-hall.

CHANSON OU CINEMA?

Début 52, Montand est loin d'être chaud pour se lancer dans une nouvelle expérience cinématographique. Malgré le succès relatif de « L'idole » d'Alexandre Esway où il incarnait un boxeur, il remâche encore l'échec des « Portes de la nuit ». Sa décision est prise : il n'acceptera plus que des films dans lesquels on ne lui propose que de faire des apparitions, comme celle qu'il vient de faire dans « Souvenirs perdus » de Christian-Jaque. Les grands rôles, c'est terminé pour lui. D'ailleurs il ne s'est pas jusque-là senti très à l'aise sur les plateaux de cinéma où l'on ne se prive pas de lui faire remarquer qu'il n'est qu'un chanteur et qu'avant de se prétendre comédien, il lui reste du chemin à faire. Dans ces conditions pourquoi insisterait-il, d'autant que le public du music-hall est loin de rester insensible à ses demi-échecs...

C'est compter sans l'insistance de Clouzot qui est déterminé à avoir Montand, personne d'autre, pour incarner le personnage de Mario aux côtés de Charles Vanel dans son adaptation du roman de Georges Arnaud « Le Salaire de la peur ». Clouzot emploie tous les moyens pour fléchir Montand ; un surtout, que tous ceux qui approcheront l'homme dans un but professionnel vont utiliser à tour de rôle : le travail ! Clouzot le prend à part, lui fait travailler des textes, le corrige, lui parle du rôle, finit par l'enfermer si bien dans le personnage que, convaincu, Montand accepte. Ses efforts et ceux de Clouzot sont récompensés. En 1953, le film obtient le Grand Prix du festival de Cannes, et Montand est encensé par la critique.

Agréable surprise pour Montand que le succès du film ne détourne pourtant pas du music-hall... L'acteur ne s'est pas encore réveillé en lui. Et si, jusqu'en 62, il accepte presque chaque année de tourner un film, il continue de ne pas se sentir tout à fait dans son élément au cinéma. Il est chanteur avant tout.

C'est effectivement comme chanteur qu'il connaît ses plus beaux succès. En 1952, il est devenu l'une des valeurs sûres de la chanson française. Son tour de chant s'est allongé et il songe d'ailleurs sérieusement à se produire seul sur scène, sans première partie, ni vedette américaine. Il s'y décidera l'année suivante en 53 et réussira trois mois durant la performance de tenir le public en haleine deux heures et demie d'affilée... ! Une valeur sûre... Et pour toute une catégorie de public le porte-parole des grands idéaux de l'époque, liberté, tolérance, justice. Il est désormais pour beaucoup « Montand, le chanteur engagé » — un titre qu'il n'appréciera pas toujours mais qu'il sent dans cette période agitée des années 50, pleinement justifié.

MONTAND, CHANTEUR ENGAGE

L'engagement... personne ne peut y échapper. Les deux camps, soviétique et américain, sont en pleine guerre froide... Et dans ce climat hostile, les nuances ne sont guère de mise. Quant aux opinions elles ont une raideur de circonstance : on est dans un camp ou dans l'autre ; certainement pas entre les deux à jouer les arbitres...

Pour Signoret comme pour Montand, le choix est simple. D'ailleurs, s'ils ne sont ni l'un ni l'autre membres du parti communiste, ils sont en accord total, à cette époque, avec les positions du Parti. C'est donc tout naturellement qu'ils adhèrent au Mouvement de la paix contrôlé par le P.C. ; tout naturellement aussi qu'ils signent l'Appel de Stockholm lancé par le Conseil mondial de la paix qui réclame l'interdiction totale de la bombe atomique — les Etats-Unis seuls en possèdent une — tout naturellement encore qu'ils prennent position contre le sénateur Mac Carthy et la chasse aux sorcières qu'il organise contre les sympathisants (ou soupçonnés tels) du parti communiste.

Provocation, défi ? Rien de tout cela chez Montand ! S'il s'est tu jusqu'à présent, c'est probablement par excès de timidité, par manque d'assurance, ou tout simplement parce que les événements ne justifiaient pas une prise de position aussi catégorique... Une chose est certaine : ses opinions n'ont pas varié d'un pouce depuis son passage aux Chantiers de la Méditerranée.

Mais en 52, il n'est plus un inconnu. Il sait que ses mots ont plus de poids et il sent qu'il faut prendre part au monde qui est en train de s'élaborer. Pas une seconde, il n'hésite et, Simone à ses côtés, il se lance dans la bataille...

Provocation, défi ? Certes non ! Car il faut une bonne dose de courage pour oser chanter sa foi dans le socialisme quand tout le monde est loin de la partager, il faut du courage pour chanter « Quand un soldat » en pleine guerre d'Indochine ; du courage encore pour prendre le risque d'être interdit sur les antennes des radios, celui d'arriver les soirs de tournée, dans des villes où toutes les affiches ont été goudronnées une heure auparavant, ou dans des théâtres où les protestataires n'ont pas trouvé mieux que de glisser des boules puantes sous les fauteuils quand ce n'est pas du gaz lacrymogène.

Du courage encore, il ne faut pas en manquer pour accepter de monter une entreprise aussi risquée que celle des « Sorcières de Salem » au théâtre quand on n'est monté qu'une fois sur scène et qu'il s'agit cette fois de crier « haro sur le maccarthysme ! »...

Montand engagé, un défi ? Plutôt une certaine idée du respect de lui-même.

Montand, instrument du P.C. ? Le Parti ne dément pas, trop heureux d'exploiter une publicité gratuite ; il irait même jusqu'à prétendre à plus ; lorsque Montand revient, dans ses tours de chant, à des chansons d'inspiration plus classique, plus douce, il boude. Montand n'en a cure. Pendant dix ans de 53 à 63, il n'écoutera que ses « coups de cœur ». Que faire d'autre ? Quand subitement tout se limite à une doctrine obtuse, quand toute notion de nuance se met à disparaître, quand la cause devient indéfendable aux yeux de Montand, il n'écoute plus que son âme et tant pis pour les qu'en dira-t-on ! Sage résolution, car s'il est permis jusqu'en 56 d'avoir les idées claires, tout se brouille après et il devient vain de s'accrocher aux mythes. Même eux donnent de signes de fatigue...

DIX ANS DE CHANSON : TRAVAIL, TRAVAIL, TRAVAIL

Durant dix ans, la chanson occupe pour Montand la première place. C'est le temps des privations de toutes sortes : un travail intense,

L'homme a vieilli mais l'acteur Montand ne cesse de grandir

journalier, d'interminables séances de barre, des régimes draconiens, pas d'alcool, pas de tabac, pas de veille. On réclame Montand partout et Montand ne veut pas décevoir. Chaque soir, c'est le même défi qu'il se lance : faire mieux, davantage. L'épreuve est difficile.

Pour lui, démarrer un tour de chant, c'est comme jouer au poker, ce jeu qu'il affectionne tant ; c'est comme faire la cour à une femme : la moindre maladresse et tout est perdu ! « C'est un métier qui ne pardonne pas. Vous chantez le soir et vous avez beau vous répéter à cinq heures de l'après-midi : « Ecoute mon vieux, tu as déjà prouvé ce que tu sais faire : ça vaut ce que ça vaut, mais enfin, tu l'as bien fait. Alors même si ça ne marche pas ce soir et que tu prends une « tape », ça ne sera pas la fin du monde. » Eh bien, au moment où le rideau se lève c'est malgré tout votre condamnation à mort. Toute votre force, votre sensibilité, votre volonté, vore amour si vous en avez tiennent dans cette seconde où vous aurez le regard de 1 500 ou 2 000 personnes sur vous, qui attendent de vous des choses qu'elles ne sont pas capables de faire. C'est la vie et la mort, et, en cet instant, qui vous dit que ces choses, elles ne le feraient pas aussi bien que vous finalement ? »

Et il s'étudie. Il travaille, travaille encore. Travaille sans cesse, passe en revue les spectacles précédents pour faire mieux, toujours mieux : « Il faut se méfier de son tempérament, de sa sensibilité. Une trop grande richesse, si on ne la contrôle pas, peut être catastrophique parfois. C'est elle qui vous écrase. Il faut savoir la tenir, ne la lâcher que quand elle est bien en main. Et en même temps ne pas trop la tenir, parce que le compliqué de ce métier c'est qu'on doit à chaque seconde « réinventer l'instinct ». Tous les soirs, à chaque seconde, pour chaque geste, chaque intonation, il faut réinventer ce que vous avez fait mille fois. Et c'est tuant. Tuant et merveilleux à la fois... »

Mais quelle récompense pour le compositeur lorsqu'il assiste à la prestation de l'interprète... Francis Lemarque, le parolier, l'ami de toujours, se souvient : « Je n'ai jamais vu un artiste depuis Montand et avant Montand faire ce qu'il fait. C'est-à-dire donner, provoquer dans la salle un tel élan d'unanimité, un tel amour de l'artiste. Non pas comme une idole. Non, ce n'était pas ça, Montand faisait passer un souffle qui, tout à coup donnait des ailes, car ce qu'il disait était important et sa façon de le dire était tellement personnelle que l'on recevait ça en pleine figure. A l'époque, Montand était le premier à faire des récitals en solitaire. Il gardait la scène pendant deux heures et pendant des mois. »

Dix ans de chansons donc, fidèlement entouré d'Henri Crolla le guitariste, de Bob Castella le pianiste et l'ami de toujours et de Simone Signoret sa groupie préférée qui n'hésite pas pour le suivre à négliger de plus en plus sa carrière de comédienne : « J'avais choisi d'être sa groupie. Je n'avais pas été recrutée. J'avais un métier que je choisissais de ne pas faire. C'était passionnant et drôle (...) Je découvrais un nouveau pays, celui du music-hall et ça me plaisait bien de découvrir tous les mystères et les difficultés de cet artisanat dont je ne savais rien... »

« Quand Montand chante, il arrive très tôt dans sa loge. S'il doit chanter à neuf heures, il est au théâtre à sept. Mais dès six heures de l'après-midi, il n'est plus là. Il est ailleurs et il est tout seul... Et puis c'est l'arrivée au théâtre vide. Des ouvreuses qui époussettent et se racontent leur vie, l'une au premier balcon, l'autre à l'orchestre. Le sous-sol bétonné, et le couloir des loges... On entre. Il y a le courrier. Des lettres de compositeurs amateurs et beaucoup de lettres d'admiratrices... Peu à peu le couloir devient vivant. Les musiciens arrivent, les uns après les autres, tapent à la porte, entrent et rigolent. C'est la « quadrilla » qui vient voir le torero avant le début de la course. Il n'y aura mise à mort de personne, parce qu'il n'y aura pas de taureau ; mais il y a le risque de cette petite mort qu'est la mauvaise représentation. Quand le torero commence à revêtir son habit de lumière — en l'occurrence une tenue de scène marron — la groupie « aficionada » se sent tellement inutile, tellement en trop, même si la quadrilla et le

---

Montand sur la scène : un travail sans relâche et l'amour du public

torero l'aiment beaucoup, qu'elle va faire un tour dans le couloir. Quand Montand met sa tenue de scène marron, il redevient le solitaire. »*

Solitaire, Montand va l'être de plus en plus à partir de 57 lors de son voyage en Union soviétique, et même en 59 à l'occasion de son séjour aux Etats-Unis.

57-59, deux dates cruciales pour le chanteur ; deux dates capitales pour l'homme.

TOURNEE DANS LES PAYS DE L'EST : LE DEBUT DE LA SOLITUDE

La tournée dans les pays de l'Est est prévue depuis longtemps déjà lorsqu'en 57, la France prend connaissance avec stupéfaction du rapport Khrouchtchev ; un rapport qui est en fait une violente diatribe à l'égard de Staline, un terrible réquisitoire contre le culte de la personnalité que l'on pratique à son sujet ; qui est surtout l'accablante confirmation des violences qui se sont déroulées lorsqu'il était au pouvoir...

Les partis communistes du monde entier réagissent au rapport. Seule, la France se refuse à suivre. Pour elle, le mythe de Staline existe et il n'est pas question d'y toucher. Aux yeux du monde, la position qu'adopte le P.C. français équivaut à refuser la politique d'ouverture à laquelle, toujours selon le rapport, la Russie aspire désormais.

Montand, Signoret, bien d'autres sympathisants du Parti sont perplexes. Tous, ils ont cru à Staline et le rapport Khrouchtchev leur donne un choc. Le P.C., quant à lui, ne fait rien pour les réconforter. Lorsqu'on essaie d'aborder le problème devant lui, aussitôt les dos se tournent. Quant aux partisans de droite, ils considèrent cette débandade d'un œil savoureusement goguenard... !

Quelques mois plus tard, la perplexité se meut en incrédulité : la Hongrie se révolte et Budapest est envahi par les chars soviétiques. Montand est déchiré. Dans un mois, en novembre, il doit se rendre là-bas, à Moscou d'abord, puis à Prague, puis à Varsovie, à Belgrade puis à... Budapest ! Toutes les modalités du voyage sont réglées. Depuis des mois il se fait une joie de partir. Tout à coup il ne sait plus que faire. Cette violence soudaine lui serre le cœur. Si le rapport Khrouchtchev avait ébranlé ses convictions dans le parti communiste le soviétique comme le français, il ne modifiait en rien sa foi dans le socialisme. Mais là c'est trop. Ce monstrueux retour de bâton le laisse sans voix, sans ressort...

Que faire ? Le couple hésite plus d'un mois. Curieusement les amis désertent la place Dauphine, comme s'ils craignaient de s'engager sur un terrain miné en donnant leur avis. Personne ne veut se prononcer. Et pendant ce temps, les lettres de menaces affluent aussi nombreuses au moins que les lettres d'encouragement... L'atmosphère dans le petit appartement des Montand devient lourde.

---

* La nostalgie n'est plus ce qu'elle était - Editions du Seuil.

Période de transition au retour du voyage en U.R.S.S.

Le 3 décembre, avec un mois de retard sur la date prévue, Montand se décide. Il ira à Moscou. Pour cela, il aura suffi qu'on annule l'enregistrement d'une émission à laquelle il devait participer. Il s'agit d'un Musicorama qui devait être enregistré en direct de l'Olympia. Bruno Coquatrix, effrayé par les menaces dont son théâtre fera l'objet si Montand chante ce jour-là, préfère reporter. Un coléreux, Montand, qui en a assez des brimades ! Puisque c'est comme ça, il partira. Le soir même, il adresse une lettre au directeur du théâtre des Marionnettes de Moscou qui s'est chargé d'organiser la tournée pour lui annoncer son arrivée, lettre dans laquelle il précise les raisons de son retard, ses réactions devant les récents événements et ses intentions une fois à Moscou, et dont il prend soin d'envoyer un exemplaire au journal « Le Monde » qui le publiera le lendemain...

Une lettre rans laquelle il dit entre autres : « Ce que je voudrais que vous sachiez aujourd'hui, c'est le trouble profond dans lequel le drame hongrois a plongé un grand nombre de Français, et en particulier des membres du Mouvement de la paix, qui est la seule organisation dans laquelle je milite. Beaucoup de Fançais qui ont tenu bon devant l'énorme et monstrueux appareil de propagande antisoviétique, et qui l'ont prouvé en ne donnant aucune adhésion publique à cette propagande, se sont néanmoins posé des questions, s'en posent encore. Je suis parmi ceux-là. (...) »

Inutile de préciser que le lendemain la presse qui apprend son départ en même temps qu'elle lit sa lettre ne fait pas de cadeau à Montand...

Montand qui ne regrette pas sa décision... La Russie accueille le chanteur avec infiniment plus de simplicité que la presse n'a relevé le départ. Quant à l'homme qui revient en France, il a pu se faire une opinion du socialisme en Union soviétique : il a ouvert les yeux. Il a découvert ce qu'on souhaitait lui cacher. Il a écouté... Il rentre le cœur chaviré par tout ce qu'il a pu découvrir. Ainsi donc, Staline était bien celui que décrit le rapport ; les abus dont tous les milieux politiques de droite font des gorges chaudes ont bel et bien existé...

Avec le naufrage de ses convictions, Montand fait connaissance avec ce qu'il s'acharnera à considérer par la suite comme la seule position possible, la seule convenable : la lucidité, « La lucidité... La lucidité est la seule arme » se plaît-il à répéter alors... Mais la lucidité pour Montand, représente un grand pas vers l'amertume. Et ni le dîner, désormais célèbre avec Khrouchtchev et les hautes instances du parti soviétique, ni sa rencontre avec le maréchal Tito ne parviennent à combler la détresse qui l'habite. Il a pourtant en cette occasion, l'opportunité d'exprimer ses doutes. Il avoue même avoir rencontré des oreilles attentives. Mais se livrer ne suffit pas si l'on reste impuissant à changer les choses... Et Montand sent bien que les choses ne seront plus jamais pareilles. C'est tout un pan de ses croyances qui s'écroule, tout un pan d'enfance quand son père le berçait de ses propres espoirs...

Oui, Montand a changé. A son retour en France, il éprouve une grande amertume vis-à-vis du parti communiste français. Il a conscience d'avoir été le jouet, pire, la publicité gratuite d'une doctrine qu'il découvre faussée de toutes parts. Amer et déçu, il va très loin, lorsqu'il déclare à Francis Rico : « Je ne veux plus être le porte-drapeau de personne. Je le déclare ouvertement. J'ai enfin compris que mon métier m'interdit de prendre une position politique. J'avoue publiquement que dans la vie, un homme qui pense le contraire de mes idées n'est pas automatiquement un ennemi. » Et il ajoute : « J'ai la sensation très nette d'avoir été exploité, d'avoir servi à la publicité d'une idée comme pour un shampooing ou un apéritif. »

Il a si mal, Montand, que les confidences s'accumulent : « Avant 57, on nous aurait dit à Simone et à moi : « Il y a deux camps politiques en Union soviétique », on se serait levé de table aussitôt et on serait parti. Si on voyait un film russe, même mauvais, comme il y en a eu à l'époque stalinienne, on trouvait toujours le moyen de la juger excellent... Au besoin en se rabattant sur la couleur. C'est comme ça quand on est sincère ! » Et encore : « Il n'est pas facile d'admettre qu'on a pu se tromper. Mais il y a des choses qu'on ne peut pas accepter. Je n'accepte pas le meurtre de Nagy, le limogeage d'un Molotov, la platitude de l'art soviétique sous certaines formes... » et plus tard à Michel Lengliney du journal « Ouest-France » : « Je ne regrette rien de mes engagements politiques d'hier. Il n'est pas mauvais pour un garçon de vingt ans de fréquenter des militants, d'être au contact de gens désintéressés, généreux et convaincus de lutter pour le bien de la communauté. Mais au bout de quelques années, le militant ou le simple sympathisant fait son propre choix. Il faut avoir l'honnêteté de se dire : « Non, je ne veux pas, au nom de la discipline et de la solidarité, accepter toutes les couleuvres qu'on veut me faire avaler ». On ne renie pas pour autant l'idée initiale. Mais envoyer des gens en prison ou en hôpital psychiatrique sous prétexte qu'ils ne sont pas d'accord avec un régime, non, je m'y refuse. Occuper un pays en disant : « On l'occupe pour sauver la révolution mondiale. » Non, je ne partage pas ces erreurs. Et puis je me refuse à condamner systématiquement des gens qui ne font pas partie de ma classe. Il existe des honnêtes gens dans tous les partis et dans toutes les confessions. A une époque, je refusais de serrer la main à tel ou tel parce qu'il n'avait pas mes opinions politiques. Je me suis rendu compte que j'étais un parfait imbécile. Avant de faire la leçon aux autres, il faut balayer devant sa porte. Et croyez-moi, le ménage ne manque pas... »

José Artur, l'ami de toujours, explique parfaitement l'état de Montand à l'époque : « Son retour a été une des plus grandes souffrances qu'un être puisse ressentir, en dehors de la perte de sa mère ou de ses enfants. Ce que ce couple a vécu a été atroce. Ils étaient partis voir Dieu, ils ont rencontré le diable. Quand ils se sont permis de dire qu'ils avaient vu une petite corne sur le front de Dieu, ils ont été pis que pendre, les horribles ! Pourtant, à côté de ce qu'on sait maintenant, ce qu'ils racontaient, c'était la Comtesse de Ségur... »

A leur retour, les Montand ne sont pas seulement déprimés. Ils sont seuls. Le vide s'installe autour d'eux. Leurs amis sont curieusement fort occupés... Plus d'amis donc. Plus de travail non plus. Ils sont devenus trop voyants, trop gênants depuis qu'ils ont franchi les frontières de l'Est. Il leur faudra un an de patience et de repos forcé pour retrouver un rythme de travail « normal » après le départ « inopportun ». C'est un an après, pour Montand, le passage à l'Etoile où « Le chat de la voisine », très explicite remplace le « C'est à l'aube » que Montand n'a plus beaucoup le cœur de chanter.

Mais leur véritable grand retour au succès, ils le devront, paradoxalement, aux Etats-Unis...

LES ETATS-UNIS OU LA FASCINATION

Les Etats-Unis !... On a beau être socialiste, haïr le maccarthysme, il est tout de même difficile de ne pas être fasciné par ce pays, surtout lorsqu'on a passé sa jeunesse à admirer les talents qui en sont originaires... Mais Montand est convaincu qu'on ne l'autorisera jamais à fouler son sol. Son passé politique est trop lourd et son voyage à l'Est ne fait rien pour plaider sa cause. Ce n'est pourtant pas faute d'avoir été réclamé outre-Atlantique ! En 49, déjà, Jack Warner lui avait proposé d'y tourner un film (mais le contrat liait Montand au producteur américain pour 9 ans, il avait refusé !) ; puis, de loin en loin, on lui avait offert à plusieurs reprises de participer à des revues style « April in Paris » dans de grands cabarets... Gene Kelly avait même été jusqu'à l'exiger pour son film... En pure perte. Montand refusait toujours, certain de ne pas obtenir le visa...

Et c'est encore par un refus qu'il accueille la proposition que lui fait Norman Granz un soir de l'année 58, au théâtre de l'Etoile. La proposition a pourtant de quoi séduire : un récital à Broadway, l'équivalent de l'Etoile, suivi d'une tournée dans tous les Etats-Unis... Quant à l'homme qui l'émet, il est passablement impressionnant : seul imprésario américain à être connu en France, il est à l'origine du lancement d'Ella Fitzgerald, Oscar Peterson ; il est l'inventeur du « Jazz at the Philharmonic » et l'auteur d'une réédition des meilleures chansons de Fred Astaire. Impressionnant et décidé, il connaît le passé de Montand par cœur et balaye de haussements d'épaules toutes les bonnes raisons qu'on lui présente pour ne pas partir. Il s'entête : là-bas, les choses ont changé, les conditions d'admission sont moins draconiennes, et lui, Norman Granz se fait fort d'obtenir pour le couple les précieux papiers !

Il s'entête tant que Yves et Simone se retrouvent un beau jour de décembre attablés devant un interminable formulaire à remplir, destiné au service des visas de l'ambassade des Etats-Unis.

La réponse arrive quelques jours plus tard, négative. Simone et Yves ont le triomphe modeste ! Norman Granz a, lui, la défaite hargneuse. Il est décidé à exporter Montand aux Etats-Unis pour l'automne 59 et rien ne le fera changer d'avis. Vexé, ulcéré, il prend le mors aux dents et jure aux Montand qu'ils vont voir ce qu'ils vont voir, que pour ce qui est d'aller aux Etats-Unis, ils iront... Les Montand sourient, flattés, somme toute, mais toujours aussi incrédules. C'est Norman Granz qui aura le dernier mot : un beau matin de janvier, ils reçoivent le feu vert de l'imprésario, se remettent à remplir un formulaire et obtiennent trois jours après le visa inespéré !

Le voyage est prévu pour septembre.

Son annonce fait moins de bruit que celle du départ pour l'U.R.S.S. On souligne néanmoins dans la presse le paradoxe, la contradiction manifeste de cette nouvelle entreprise avec les précédentes. Montand, l'homme de gauche va rencontrer ses ennemis d'hier... Montand, lui, n'a pas oublié la leçon de l'Est. Il se tait.

Après une tournée en Israël et un court intermède à Cannes pour accompagner Simone Signoret à qui l'on vient de décerner le prix de la meilleure interprétation féminine pour son film « The room of the top », Montand se met au travail. D'arrache-pied. Ce n'est pas une mince affaire — il le sait — que d'affronter le public américain. Bon enfant, il n'en est pas moins infiniment plus exigeant que le public français sur certains points et se lasse par ailleurs très vite des choses dont il ne comprend pas le sens.

Alors, aux répétitions habituelles avec les musiciens, s'ajoute un travail fastidieux sur les textes dont il faut traduire l'esprit en anglais par de petites phrases destinées à servir d'introduction aux chansons. Ce sont des amis de Montand, plus anglophiles que lui, qui vont les lui confectionner, des petits textes drôles, pleins d'humour, de poésie, qui reflètent parfaitement le chanteur... Reste à l'incorrigible rêveur, au mauvais élève, à les apprendre. C'est un travail de fou sur lequel il va s'acharner pendant six mois. Pendant des journées entières, il

« Les routes du sud » de Losey

ingurgite des mots auxquels il ne comprend rien, rabâche, s'enregistre, se corrige... Il y arrivera, quitte à ce que sa tête en éclate comme il le dira plus tard : « J'ai passé des nuits à apprendre par cœur des phrases d'anglais, à me casser les oreilles avec des bandes de magnétophone, à suivre les explications de mes professeurs devant un miroir, à me mordre les poings jusqu'au sang ! J'étais comme un sourd qui n'entend pas sa propre voix. »

Le jeu en valait la chandelle car c'est un véritable triomphe qui l'attend au « Henry Miller Theatre » à Broadway. Critiques comme public ne tarissent pas d'éloges et « an evening with Yves Montand » qui dure deux heures et demie fait l'unanimité. Yves Montand est terriblement ému : « J'avais tout pour déplaire : ma réputation de vedette du « rideau de fer », mes prétendues opinions politiques, ma méconnaissance totale de la langue anglaise et l'air de tout vouloir sans rien payer (...). Or d'emblée je me suis senti à l'aise. Je n'ai pas eu le sentiment d'être un étranger. J'étais dans mon élément. »

Le « Henry Miller Theatre » qui ne l'avait engagé que pour trois semaines voit Montand partir à regret. Quant au directeur du « Long

Acre » qui prend sa succession, il ne contient pas sa joie de drainer une telle publicité...

C'est confiant et ravi que Montand quitte New York pour accomplir les trois dernières étapes du voyage, la Californie, Hollywood et San Francisco. Il sait que la partie est gagnée et bien gagnée. Il a raison. En Californie, au « Hintigton Theatre » d'Hollywood comme à San Francisco, les théâtres ne désemplissent pas. Sa popularité devient alors si forte que la télévision américaine le réclame. Pour Montand c'est un événement important. Il sait combien il est difficile aux étrangers de s'imposer comme chanteur sur les chaînes de télévision américaines. Très peu de Français jusque-là y sont parvenus : Piaf, Maurice Chevalier, Fernandel, Line Renaud, Robert Lamoureux... La liste s'arrête là.

Il sait aussi que lorsqu'on parvient, en Amérique, à toucher le public par ce média, on ne vous oublie pas de sitôt. Mais combien d'échecs pour un grand succès ! C'est avec la télévision américaine que les Bécaud, Distel, Aznavour, Ulmer ont essuyé leur échecs les plus cinglants...

Montand tente sa chance. Le « Dina Shore's show » dans lequel il passe le révèle à un public qui n'a jamais eu l'occasion de l'entendre auparavant : c'est du délire. La presse américaine est dithyrambique, « Yves Montand, c'est Paris personnifié » cite le New York Mirror ; « Yves Montand est un des plus efficaces philtres d'amour jamais déversés par-dessus une rampe. A lui seul, il est le théâtre des arts de la scène » s'émerveille le New York Times, jusqu'à Frank Sinatra qui s'exclame : « Chanter des poètes... Ce type m'épate avec ses refrains sans rimes. »

MONTAND : VEDETTE AMERICAINE

Le gigantisme américain est à la mesure de son succès. La machine du show business se met en marche en agitant projets, contrats et vedettes : on propose à Montand de tenir la vedette masculine du prochain film de Marilyn Monroe dont Arthur Miller a écrit le scénario. Vedette masculine dans un film américain, et aux côtés de Marilyn... ses jambes se dérobent. Montand oublie toutes les promesses qu'il s'est faites concernant le cinéma et signe, enthousiaste.

Il n'en a pas fini avec les efforts. Aux Etats-Unis, ce travailleur acharné de nature a découvert un professionnalisme qui l'écrase et le stimule encore davantage dans sa volonté de perfection. Alors, il veut que le rôle qu'il doit tenir dans « Le Milliardaire », soit parfait et inlassablement, nuit et jour, il répète... « Pour moi, les Etats-Unis ont été à un moment donné, une grammaire anglaise, un verre d'eau, et des textes de rôle à me faire éclater le crâne. Imaginez que demain, on vous ordonne de parler russe dans huit jours, épouvantable, non ? C'est mon histoire. Ce que j'ai souffert, moi seul peux l'affirmer. Du reste, à Hollywood, les conseillers m'avaient découragé dès mon arrivée au studio. La mariée semblait pourtant belle ; des partenaires d'une renommée écrasante ; des metteurs en scène aussi puissants que des empereurs de Chine. Je n'ai jamais tant lutté, rassemblé mes forces jusqu'à l'épuisement, qu'à cette époque-là, pour traverser la jungle. »

« Il fallait vraiment parler de travail, avec des outils, les mots ! Les mots. Mais des mots qui n'ont jamais été entendus dans l'enfance, qui ne sont que des sons et qu'il faut utiliser avec l'apparente désinvolture de celui qui s'en sert depuis toujours. Le « par cœur » qui doit donner l'impression qu'il jaillit du cœur justement, alors qu'il est la fidèle reproduction des bruits qu'on vous inculque, dont vous êtes complètement prisonnier sous peine de n'être pas compris, rester naturel, décontracté, autoritaire, tendre, capricieux et naïf, comme Gary Cooper ou James Stewart auxquels Norman Krasna avait sûrement pensé en écrivant son scénario qui était finalement une charmante réédition d'un conte de tées, dans lequel une fois de plus le prince épouse la bergère. »

« Le Milliardaire » ne remporte pas le succès escompté mais Montand revient en France auréolé du prestige d'avoir été le premier partenaire français de Marilyn Monroe, auréolé de la renommée qu'il s'est faite au cours de sa tournée.

L'Amérique pour Yves Montand, c'était un rêve. De retour à Paris, il conserve le souvenir émerveillé du pays qu'il vient de découvrir. La technicité infiniment plus en avance là-bas, l'enthousiasme, le gigantisme des moyens employés dans le spectacle comme dans le cinéma lui tournent la tête... Surtout la rencontre des idoles d'hier qui sont devenus les amis d'auourd'hui le remplit de joie, Henri Fonda, Arthur Miller, Kirk Douglas, Judy Garland, Dean Martin, William Wyler... Walt Disney...

C'est donc le cœur joyeux que Montand rentre à Paris en 62... N'eût été une ombre qui vient un peu ternir le tableau : Marilyn Monroe.

On a beaucoup parlé à leur sujet. On a dit aussi beaucoup de bêtises. S'il est certain qu'une grande amitié a lié, à ce moment-là, la « star » et le chanteur, rien ne permet d'aller plus loin. Les journaux ne s'en priveront pas et leur idylle superposée fait la une des presses du monde entier. Comment Marilyn et lui ne se seraient-ils pas senti des points communs ? Tout dans leur passé respectif les rapproche. Faut-il pour autant prétendre qu'elle est la troisième femme de sa vie ?...

Marilyn est belle. Mais pour bien des gens, Marilyn n'est que ça. Et elle prétend à autre chose que tous les rôles qu'on lui propose, où elle doit sempiternellement incarner les belles idiotes sans cervelle. A l'époque où elle fait la connaissance des Montand, elle est lasse d'être le sex symbol du monde entier ; elle voudrait autre chose ; Marilyn voudrait qu'on reconnaisse ses talents de comédienne. Personne n'y songe. Miller peut-être qui essaie de lui écrire des rôles à la mesure de ses ambitions ; celui du « Milliardaire » en est un exemple. Mais Miller, le mari de Marilyn, ne suffit pas. Il la connaît trop, elle et ses désirs, pour qu'elle se satisfasse du souci qu'il prend d'elle. C'est des étrangers que Marilyn voudrait voir se manifester cette reconnaissance. Elle ne se manifeste pas, au contraire. Sur les plateaux de tournage, on ne cesse de lui faire remarquer qu'elle n'est qu'un bel objet, tout juste bon à articuler quelques répliques et à montrer ses jambes ! Elle en souffre. Pire ! Trois mots à dire suffisent à lui donner le trac... C'est une chose que Montand peut comprendre, le trac ! Il l'a suffisamment pour savoir dans quelle détresse il peut plonger l'être le plus optimiste.

Tout de même, il est étonné. La plus belle fille du monde, la star la plus idolâtrée tremblant à la seule idée d'entendre l'éternel « Silence, on tourne ! » Cela a de quoi surprendre... Il est étonné, compatissant et compréhensif.

La gentillesse dont il va entourer Marilyn tout au long du tournage du « Milliardaire » va mettre un peu de baume au cœur de cette incomprise, non sans jeter quelque trouble dans une âme ausi fantasque que complètement déséquilibrée. Et puis Montand ne la rassure pas seulement. Il la comprend. Il connaît lui aussi la misère. Il a connu la tristesse. Leurs petites enfances se rejoignent et se mettent à l'unisson. Marilyn a enfin trouvé quelqu'un à qui parler. Au fond, elle est simple. Elle ne craint rien tant que les sorties où elle ne sait guère se comporter en véritable femme du monde, bien trop persuadée que la soirée ne saurait s'achever sans une bévue de sa part. Rien à voir avec la déesse que le monde entier adule. Elle passe son temps à traîner dans son appartement, à rêver des enfants qu'elle ne peut pas avoir...

Elle est à demi-consciente qu'elle n'est pas à la hauteur de son mythe. Elle sait qu'elle est belle, très belle. Elle sait aussi qu'elle n'est que ça. Au bout de trois mariages, et malgré l'amour que lui porte Arthur Miller, elle est terrifiée par l'avenir...

Elle se suicide en août 1962. L'événement entourera à tort Montand d'une incroyable publicité. Lui, comme Simone Signoret, est triste. Avec Marilyn, ce sont quelques-uns de leurs meilleurs souvenirs américains qui meurent... Durant toute la période qui a précédé la mort de Marilyn, Montand s'est senti trahi, bafoué par la presse. A présent qu'elle est morte, il est tout bonnement triste. Il a perdu un « copain »...

Très vite, la tristesse qui entache désormais leurs souvenirs américains va s'estomper dans le lointain. A leur retour en France Signoret et Montand sont happés par une série d'événements qui secouent la France et le monde. En 62, la guerre d'Algérie bat son plein... En 62, l'homme Montand s'interroge. C'est pour lui une époque de transition durant laquelle il va décider du sens nouveau à donner à sa carrière...

1962 : UN TEMPS DE REFLEXION

62... C'est la guerre d'Algérie et la parution en France du terrible livre d'Henri Alleg « La Question » qui apporte la preuve que l'armée

L'âge de la maturité, celui du choix : Montand abandonne la chanson

française torture en Algérie. De nouveau, la France se divise en deux camps, ceux qui sont pour l'indépendance et les autres qui souhaitent voir se perpétrer le colonialisme... Montand qui s'était pourtant juré trois ans auparavant de ne plus prendre aucune position politique publique ne peut résister à manifester son désaccord vis-à-vis d'une guerre qui lui répugne profondément. S'il n'a pas signé le Manifeste des 121 comme l'a fait Simone Signoret, seul son éloignement de Paris l'en a empêché. Raison de plus pour affirmer ses positions ! Et lorsque la radio et la télévision décident de boycotter les artistes ayant signé le manifeste, Montand décide de boycotter à son tour les programmes de fin d'année auxquels il devait participer...

Il ne donne d'ailleurs que peu de récitals en cette année 62 où curieusement il fête ses vingt-cinq ans de chansons ; un seul en réalité à l'Etoile où toutes les délégations des ambassades se rendent, à l'occasion de la première, pour rendre hommage à son talent.

Depuis son retour des Etats-Unis, un changement très net s'est opéré chez le chanteur. Il le dit, il veut prendre un peu de vacances. Il a jusque-là mené sa carrière tambour battant sur plusieurs fronts. Il veut prendre du recul. Est-il conscient qu'un choix s'impose entre toutes les activités qu'il a menées de front jusqu'à présent ? Toujours

Février 1974, retour de Montand à l'Olympia pour un concert unique en faveur des réfugiés chiliens

**Montand abandonne la scène,
mais n'oublie pas tout à fait la chanson,
il réalisera plusieurs shows avec Jean-Christophe Averty**

est-il qu'à la fin du tournage de « Ma geisha » de Jack Cardiff, il semble s'accorder une temps de réflexion. Bien qu'il ait concentré la majeure partie de ses activités au music-hall, il a néanmoins tourné un certain nombre de films, — même s'il avoue ne pas se sentir exactement lui-même dans les rôles qu'il interprète —. Souhaite-t-il s'orienter définitivement vers le music-hall ? Son absence des écrans qui va durer trois ans pourrait le laisser présager. En même temps, son retour au théâtre avec « Des clowns par milliers » déroute. C'est visiblement une étape de transition que Montand traverse à cette époque.

Il faut dire que tout remue autour de lui. Le twist fait rage. La vague des yéyés fait son apparition, et avec elle, les prémisses de 68... Les choses changent. Cela ne dérange pas la popularité de Montand qui remplit à craquer l'année suivante la salle de Chaillot lors d'un gala organisé pour les étudiants.

Période de transition, donc ; période idéale pour rencontrer deux cinéastes, Alain Resnais et Costa Gavras. Ils vont être à l'origine de l'orientation nouvelle de la carrière de Montand. Avec Costa-Gavras, il tourne en 64 « Compartiments tueurs » ; en 66 « La guerre est finie » avec Resnais. Avec le premier, Montand découvre une chose qu'il n'a encore jamais rencontrée sur un plateau : la complicité ; avec Resnais, il tourne son premier film politique, deux paramètres qui déclenchent chez le chanteur une vocation toute neuve, celle de comédien... Successivement « Paris brûle-t-il ? » de René Clément, « Vivre pour vivre » de Claude Lelouch en 1967 le placent au premier plan de l'actualité cinématographique et c'est finalement sans étonnement mais avec une énorme tristesse qu'en juin 68, à l'Olympia, on apprend que Montand chante sur scène pour la dernière fois.

« J'ABANDONNE LE RECITAL »

Ce choix qu'il souhaitait faire et qui prenait au départ la direction opposée, il l'annonce avec ces mots : « J'abandonne le récital. J'en ai marre. J'ai besoin de faire autre chose. Les pages, cela se tourne ! »

Désormais Montand sera avant tout acteur. Il ne reviendra qu'une fois sur sa décision à l'occasion du concert exceptionnel qu'il offre en 74 au profit des réfugiés chiliens. Un concert dans lequel, après huit ans d'absence, il donne à nouveau la mesure de son immense talent. On chuchote, ah s'il voulait... Mais Montand ne veut pas... Pas encore. Il ne chante plus. Il est acteur...

En réalité Montand n'abandonne pas tout à fait la chanson. Il l'aime trop pour cela. Il ne jure pas non plus de ne jamais, jamais plus remonter sur une scène ; bien sûr, il continuera d'enregistrer des disques, il fera des émissions télévisées avec notamment le « Montand de mon temps » de Jean-Christophe Averty. Mais sa décision est prise : le one man show, pour lui c'est fini. Comme il le dit lui-même, il s'agit d'un divorce à l'amiable...

Pourquoi une rupture aussi catégorique ? Il est difficile de ne pas soulever le problème. Et si l'on salue la dignité du départ comme on saluera quelques années plus tard celle de Jacques Brel, on ne peut s'empêcher de souhaiter des explications, de les exiger même !

Solitude ? Crainte de voir s'émousser un talent qui a atteint son apogée ? Lassitude d'un tour de chant devenu trop routinier. On se perd en conjectures et les avis changent d'un ami à l'autre...

Francis Lemarque : « Peut-être se sentait-il attiré vers le cinéma. Souvent il parlait et il disait : « Tu comprends, tu chantes un soir, t'es bien, t'es au mieux de ta forme, et puis le lendemain, t'es pas bien. Le public ne sait rien. Si tu chantes moins bien, il ne sait pas pourquoi, il ne veut pas savoir, il t'accable. Tandis qu'au cinéma, tu fais un film : on prend la meilleure prise qui existe, et si le film par hasard n'est pas bon, tu restes chez toi. Tu en fais un autre. Alors que si tu n'es

Montand dans « Le grand escogriffe »

pas bon et que tu viens chanter, le public le voit... » Et puis la chanson telle que Montand l'exerçait le vouait à une solitude permanente. Je pense que c'est pour sortir de cette solitude qu'il a carrément coupé avec la chanson. S'il l'a quittée, il y a forcément des raisons. Il en a peut-être eu assez de ce travail qu'il s'imposait : quand Montand se préparait à son tour de chant, il entrait en loge comme un prix de Rome entre en loge pour écrire sa symphonie. Il faisait de la barre deux heures par jour pour être souple. Il suivait un régime draconien, évitait de boire. Le tour de chant, c'était une chose, mais la préparation de ce tour de chant, c'était autre chose et quelque chose dont on a le droit de se lasser. »

Les mauvaises langues affirment à l'époque que Montand a quitté la chanson par crainte d'être submergé par la vague yéyé. Une bonne occasion pour le chanteur de se faire entendre : « Je n'ai pas quitté le music-hall par crainte des yéyés ; ils sont jeunes ; ils sont beaux ; ils sont ce qu'ils sont. Malgré tout, Brel, Brassens, Bécaud ont bien tenu le coup. Mais le music-hall, c'est l'enfer. On n'existe plus qu'en fonction du monstre qu'il va falloir mettre au monde. On vous dit tous les soirs : « Donnez le meilleur de vous-même » et alors, pour le reste ? Qu'est-ce qui reste ? Pour l'amour ? Le soleil ? Les copains ? Rien ! Le music-hall, c'est l'usine et moi, l'usine, ça me fatigue. Le cinéma, c'est la liberté. »

Danielle Heymann, l'amie de vingt ans, n'est pas entièrement convaincue : « Le problème, le vrai, c'est que sur le plan de la chanson, Yves ne savait plus où il en était, parce qu'il avait perdu le contact avec le public « populaire ». Il ne sait plus ce qu'il faut qu'il chante. Il est passé du côté « chanteur populaire » au côté des intellectuels de gauche. Ce n'est pas si confortable que cela... »

Costa Gavras non plus n'est pas convaincu, qui ajoute : « Je pense que l'apport d'un grand nombre d'auteurs-interprètes a modifié la chanson et que ce n'est plus son domaine. Il sait bien que s'il revenait, il ferait le « plein » mais sans beaucoup de choses nouvelles. Les choses nouvelles, vraiment nouvelles, elles sont désormais chantées par ceux qui les composent. C'est une autre génération, une autre façon de voir. Or, il y a encore chez Montand un amour scrupuleux de la chose bien faite. Il y a en plus une sorte de peur artistique : il sait qu'il ne peut pas se permettre de refaire les mêmes choses, surtout lui. »

Et les explications se multiplient... Pour Julien, son frère, la décision d'Yves relève d'un malaise politique croissant depuis 1957. Ce même malaise qui le pousse vers le cinéma où il se retrouve dans les rôles qu'il incarne, alors qu'il ne se retrouve plus au music-hall : « Après les événements de Hongrie en 56 et la tournée d'Yves et Simone en U.R.S.S. et en Tchécoslovaquie, Yves a été complètement déchiré, écartelé et ses déchirements ont été pour beaucoup dans sa prise de conscience. Il n'avait plus le ressort pour poursuivre sa carrière de chanteur. Par rapport à ce qu'il apportait à son public et ce que son public attendait de lui, il y avait quelque chose de changé. Je crois franchement que pour un gars comme mon frère, il n'y a pas de place pour le scepticisme et le doute entre le public et lui. C'est toute son honnêteté. Il sentait ne plus pouvoir traduire ce qu'il représentait d'espoir, de romantisme révolutionnaire, de générosité. Dans ses tours de chant, il n'était déjà plus le même. « Un gamin de Paris », par exemple, il la chantait autrement. Le passage où il dit : on a pris la Bastille, avant c'était une affirmation. En 1962, c'était devenu un petit peu guilleret... C'est là que j'ai ressenti combien il n'était plus nourri par la même sève. Les ressorts qui jusqu'alors lui avaient fait aimer ce moyen d'expression n'étaient plus aussi puissants. C'est quelque chose qui se desséchait à son insu, petit à petit sans qu'il en soit désespéré, torturé. Il lui manquait cet aliment essentiel, qui avait fait sa force : l'envie, le besoin de chanter et l'absolue conviction. »

Piaf, quant à elle, n'explique rien, n'excuse rien. C'est presque blessée qu'elle confie son indignation à José Artur qui la cite dans son livre « Micro de nuit » : « Elle s'est mise en devoir de m'expliquer pourquoi Montand avait tort de se lancer dans le cinéma, et elle ajoutait : « Et tu peux lui dire de ma part : quand on est unique dans une branche, on ne va pas grossir les rangs d'une autre. Ah, le salaud ! Quelle voix ! Quel physique ! On n'a pas idée d'être doué comme ça ! »

En 1972, dans une interview qu'il accorde à Danielle Heymann, Montand revient lui-même sur les décisions qui l'ont poussé à quitter la scène : « Il fallait que j'arrête le one man show, cette contemplation morbide, narcissique, desséchante de soi-même. A force de me faire applaudir tous les soirs, j'en étais venu à me prendre pour Montand... »

VIVE L'ACTEUR MONTAND

Adieu donc au chanteur... et vive l'acteur ! Le public du music-hall se console en se précipitant dans les salles de cinéma, les salles de cinéma dans lesquelles Yves est mondialement connu.

Paradoxalement, si certains se permettent de penser que Montand n'est plus aussi convaincant qu'autrefois sur scène, il l'est, film après film, bien davantage au cinéma. D'abord il n'a plus peur. Il se sent sûr de lui. Il a enfin trouvé des metteurs en scène à la hauteur de ses espérances et de ses convictions. Lui qu'on méprisait ouvertement sur un plateau parce qu'il était chanteur, chanteur avant tout, il rencontre des gens qui le respectent, le comprennent, l'aident à atteindre à ce qui lui est indispensable : la perfection.

Avec Costa Gavras, d'abord, à propos duquel il dit : « Brusquement avec Costa Gavras. J'ai découvert quelque chose. J'ai découvert plus qu'un metteur en scène, un complice qui avait décelé ma véritable personnalité. C'est le genre de complicité que j'ai retrouvé plus tard avec Claude Sautet et Alain Corneau entre autres. Et puis j'avais juste dépassé la quarantaine. Et je crois que la plupart des comédiens trouvent leur équilibre à partir de quarante ans. C'est en tout cas ce qui s'est passé pour moi. C'est de « Compartiment tueurs » que date ma vraie vocation, mon véritable et total engagement pour le cinéma. Jusqu'alors, l'essentiel restait pour moi le one man show sur scène. »*

* Extrait du livre d'Alain Rémond « Montand » - Editions Veyrier.

Il faut dire que les expériences cinématographiques américaines de Montand n'avaient guère contribué à épanouir l'acteur. Si Clouzot avait pu lui redonner une quelconque confiance en ce domaine avec « Le Salaire de la peur », les épreuves du « Milliardaire » de George Cukor, de « Ma geisha » de Jack Cardiff, de « Sanctuaire » de Tony Richardson ou encore de « Aimez-vous Brahms ? » de Anatole Litvak l'avaient de nouveau convaincu de ses insuffisances et de son peu de goût pour la vie de plateau. Avec Costa Gavras, Resnais et même Lelouch, Montand prend conscience d'un autre style de direction d'acteur dans lequel d'emblée il se sent à son aise. Rien à voir avec le dirigisme froid et quasi scientifique des réalisateurs américains où il n'est guère besoin de s'appeler Marilyn pour éprouver le sentiment d'être manipulé comme un objet... La discussion est enfin possible et les barrières tombent d'elles-mêmes. Il faut dire que les sujets traités ne sont pas non plus les mêmes. En 64, on est bien loin du sentimentalisme mièvre d'un « Sanctuaire ». De toutes ces expériences passées, Montand n'a guère qu'un mot à la bouche : « C'était un rôle qui ne me convenait pas » ou encore, « J'aurais aimé jouer ce personnage de telle et telle façon, mais on m'en a empêché... »

A partir de Costa Gavras et Resnais, les choses changent complètement. Hasard, choix délibéré ? A quarante ans, il est certain que l'homme a mûri ; il a un passé, une personnalité qui ne peuvent manquer de séduire un Costa Gavras, plus amateur de vraies valeurs que de prestations tapageuses, qui ne peuvent pas ne pas enthousiasmer un Resnais assoiffé d'authenticité...

Désormais, Montand interprète des personnages à sa mesure, des personnages dont il a le loisir de discuter avec des gens qui ne sont plus seulement des directeurs d'acteurs, mais qui, très vite, deviennent aussi des amis. Des personnages qu'il connaît bien pour avoir parfois été dans leur peau ; des personnages, enfin, qui lui donnent l'occasion d'exprimer ses doutes, ses errances, ses souffrances, ce qui lui reste de croyance, cela en toute liberté, sans le souci de dérouter un public trop imprégné par son passé.

LE CINEMA : L'EXPRESSION DE LA NOSTALGIE, DE LA LUCIDITE...

La chanson était l'époque des convictions assénées sur le ton catégorique du presque militant, le cinéma devient l'expression de la nostalgie et de la lucidité, la fameuse lucidité dont Montand ne s'est plus départi depuis le retour de Russie.

Montand, un perpétuel inquiet qui ne cesse de relever les défis qu'il se jette

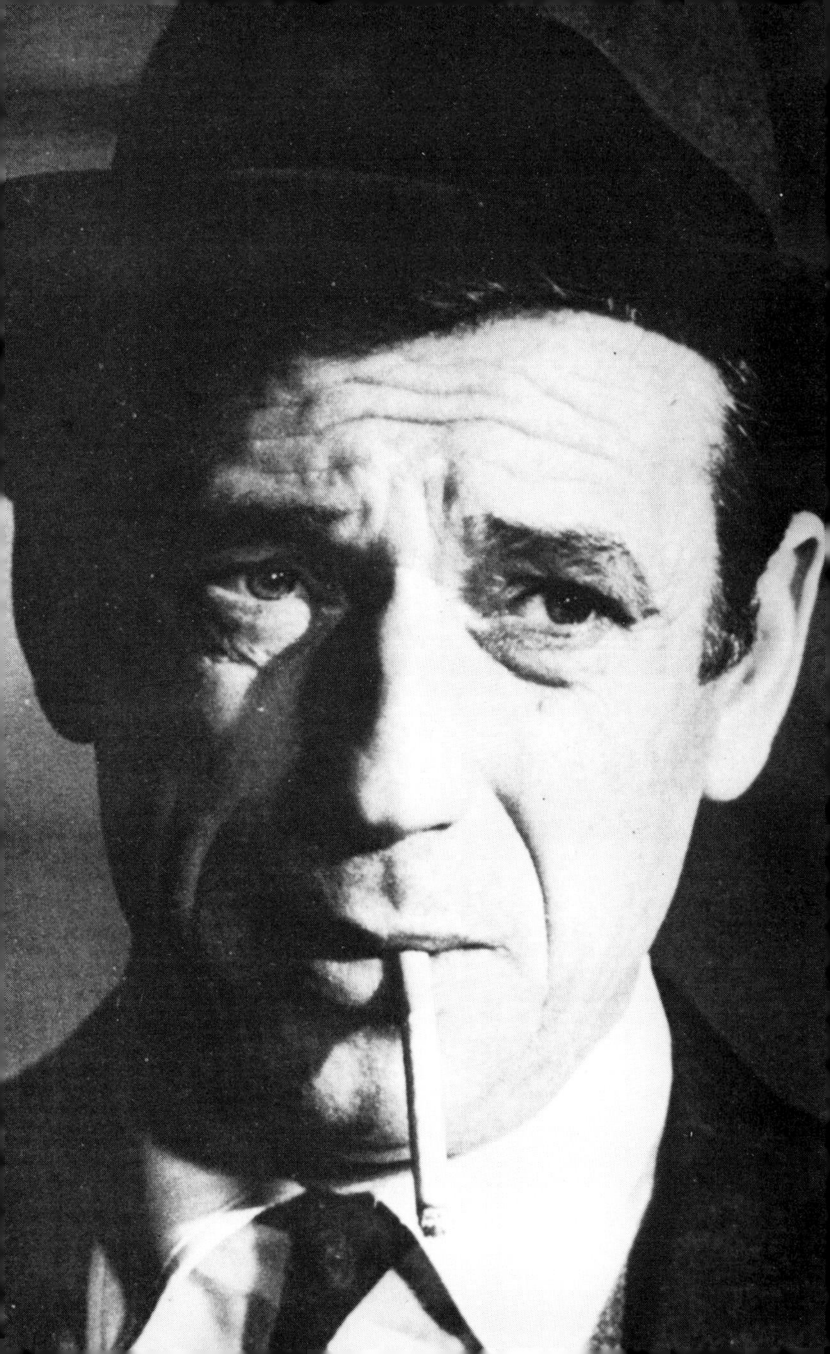

C'est avec Alain Resnais et « La guerre est finie » en 1966 qu'il règle pour la première fois ses comptes avec elle. Difficile en effet de ne pas discerner dans ce film, situé aux lendemains de la guerre d'Espagne, les critiques acerbes qui sont prononcées à l'égard du parti communiste français. Personne ne s'y trompe, pas plus Yves Montand que le Parti. Première épreuve dans ce combat pour la vérité et épreuve pleinement réussie puisqu'il obtient le prix du meilleur acteur pour son interprétation du rôle de Diego. Jamais il ne s'est senti coller aussi parfaitement à un personnage : « Le rôle de Diego colle totalement à la peau de Montand. Parce que c'est celui d'un homme partagé, authentiquement engagé, mais qui a appris à se méfier des slogans, des idées toutes faites, et dont les certitudes ne sont pas taillées dans le béton. C'est Montand après le rapport Khrouchtchev, après les désillusions, avec pourtant la même chaleur, la même conviction. »

Plus encore avec « Z » en 1968, « L'Aveu » en 1969, et « Etat de siège » en 72, Montand va se délivrer de tout ce qui l'étouffe depuis dix ans.

Avec « Z », c'est une revanche contre les tours de chant sabotés, les affiches goudronnées ; c'est aussi une prise de position très claire et très violente contre l'assassinat du député grec Gregorios Lambrakis, contre la prise du pouvoir par les colonels en 67...

Avec « L'Aveu » surtout...

« L'Aveu » ou l'histoire du procès Slansky, publié par Arthur London en 1968, et transposé à l'écran dans un scénario de Jorge Semprun.

Montand va totalement s'identifier au personnage de London. Comment pourrait-il en être autrement ? N'a-t-il pas été, comme London, trompé par les exigences d'un parti qui plaçait si haut l'idéal qu'il ne considérait plus l'homme ? N'a-t-il pas, lui, Montand, contresigné cette phrase d'Eluard, à l'époque du procès Slansky : « J'ai trop à faire avec les innocents qui clament leur innocence pour m'occuper des coupables qui crient leur culpabilité. »

Comment, oui, comment ne pas s'identifier à cet homme et à son cauchemar quand on a vécu quelques années après le même cauchemar, quand on s'est perdu dans les mêmes doutes affreux ? Et voilà qu'on lui donne enfin l'occasion d'exprimer cette ironie, cette amertume, cette fameuse lucidité qui lui ont comprimé le cœur pendant si longtemps. Peu importe à Montand qu'on taxe son geste d'anticommuniste ; l'essentiel, c'est de se libérer : « L'image est beaucoup plus forte que le livre. Et pourtant, en mon âme et conscience, j'ai décidé de faire le film, parce que j'ai jugé que c'était de mon devoir de le faire. J'avais chanté des chansons et joué dans des films qui condamnaient l'intolérance de l'autre côté. Il m'aurait été insupportable de continuer à me voiler la face sous prétexte de ne pas scandaliser le mouvement ouvrier international. »

Les réactions au film de Costa Gavras sont très vives et la polémique qui s'engage durera des années ; en 76, lorsque le film est présenté à la télévision, elle dure toujours.

C'est à partir de cette date-là, qu'à tort ou à raison, on en vient à considérer Montand comme le militant du cinéma...

« C'est peu de dire qu'Yves Montand incarne Arthur London. L'identification est si totale, si douloureusement absolue que l'on aurait honte de parler d'une performance d'acteur. Ce qu'il fait est très au-delà. Peu à peu, de « La guerre est finie » de Resnais à « Z » puis à « L'Aveu », Yves Montand cesse d'être un acteur pour devenir ce militant torturé et douloureux auquel l'on croit de plus en plus intensément. » **Jacqueline Michel-Télé 7 jours.**

Militant, Montand ? S'il milite, c'est à coup sûr pour la vérité, pour en tirer profit. Dans ce but, il ne choisit pas forcément le beau rôle. La preuve, lorsqu'on lui propose d'interpéter Mitrione dans « Etat de siège », il n'hésite pas une seconde : « Je suis un joueur de poker. Aussi y a-t-il eu pour moi l'excitation de jouer un personnage de l'autre côté. Mitrione était persuadé d'être dans le bon droit (...). C'était un bon père de famille, un type parfaitement honnête, tout à fait convaincu de ce qu'il faisait et c'était cet aspect-là qui m'intéressait... »

Montand ne ménage rien pour imposer ses rôles, ni lui ni les autres ! Les personnages qu'on lui offre correspondent à ses vœux. Il s'engage à fond pour leur correspondre ! Il vit notamment le tournage de « L'Aveu » dans une identification quasi physique au personnage : « J'ai maigri de douze kilos et demi pendant le film. Je n'ai pu y parvenir qu'en faisant la grève de la faim. Mais je n'ai jamais considéré cela comme un exploit. N'importe quel comédien concerné par le problème aurait fait la même chose. Quelqu'un qu'on empêche de dormir, de boire et de manger est obligé de perdre du poids et cela doit se voir. Même si le cinéma est l'univers de la fiction ! Les spectateurs auraient peut-être pu faire abstraction, imaginer. Mais à mon avis, c'était impossible dans ce film. C'est si vrai qu'on en arrive à oublier pendant la projection du film l'interprétation, pour ne plus voir que la machinerie qui écrase un être humain... »

Montand chanteur avait des idées bien arrêtées sur la chanson. L'acteur prend le flambeau. Le but fixé reste le même : la perfection ; l'instrument est inchangé lui aussi : le travail. Les règles du succès ? Il les définit ainsi :

1 - Concentration : dans le théâtre chinois, les acteurs arrivent à quatorze heures pour ne jouer qu'à vingt et une heures... Sept heures de préparation, de concentration pour deux heures de spectacle ! Mais il faut ce temps pour se concentrer, pour tout oublier autour de soi.

2 - Orgueil.

3 - Présence : et ça, personne ne peut vous l'apprendre.

4 - Progression.

5, 6, 7, 8, 9 et 10 - **travail, travail, travail, travail, travail...**

Au cinéma, comme jadis au music-hall, c'est convaincre que veut Montand : « On ne réussit pas à être bon tous les jours. Dans le peu que j'ai essayé de faire, je n'y ai pas toujours réussi. Bien que nous soyons dans le domaine de la fiction, il ne faut pas prendre les gens pour des cons, et leur donner à voir ou à entendre des choses qui soient inintelligentes... ».

Convaincre, c'est le but auquel Montand tend sans cesse. Etre comédien pour lui, c'est autre chose que de jouer la comédie, c'est ETRE, au même sens que les enfants « sont » des bandits à l'instant où

Séances d'entraînement pour « Police Python »

Pour Montand, chaque nouveau rôle implique un total engagement

ils jouent à l'être... « Ce qui nous pousse à être comédiens, c'est probablement au départ l'amour que l'on se porte à soi-même, mais la vraie raison c'est la joie, l'angoisse et le plaisir de continuer à jouer aux gendarmes et aux voleurs, de jouer avec la même sincérité que celle avec laquelle les enfants jouent, sans être dupe... Quoique je n'aime pas les mots « jouer » ou « faire semblant ». Je leur préfère le mot « être » ! »

Le secret de l'acteur percé à jour, Montand n'en démordra plus et refusera tout film où il lui semble ne pas pouvoir être en mesure de se mettre dans la peau du personnage... Ce n'est pas pour autant qu'il se limite comme on se plaît encore à le dire, à des rôles politiques.

Comme le chanteur ménageait dans ses tours de chant une part à l'amour, à la poésie ou à l'humour, de même l'acteur n'hésite pas à tourner dans des films aussi légers que « La folie des grandeurs » de Gérard Oury aux côtés de Louis de Funès ou « Le grand escogriffe » de Claude Pinoteau, dans des intrigues policières comme « Police Python 357 » d'Alain Corneau ou « La menace » du même réalisateur, pas plus que dans des drames psychologiques comme « César et Rosalie » de Claude Sautet en 1973 qui lui vaut un prix ou « Vincent, François, Paul et les autres ». Les films politiques qu'il a interprétés lui ont donné l'occasion de s'exprimer. Les autres lui font parfois découvrir un aspect insoupçonné de lui-même, avec « César et Rosalie », par exemple : « J'aurai toujours une grande tendresse pour Claude Sautet.

Avec Valentina Cortese dans « Le grand escogriffe »

Il m'a vraiment percé à jour, à mon insu, si je puis dire. Il a très bien compris que ce qui pouvait être considéré chez moi comme de la naïveté ou de la faiblesse, un manque de connaissance, n'était qu'une forme de maladresse, qui l'est, bien sûr, beaucoup moins aujourd'hui puisqu'il me l'a révélée... Il y a des rôles comme ça qui vous enrichissent et qui vous libèrent... »

« César et Rosalie », un film dans lequel Montand va trouver un second souffle cinématographique, une deuxième dimension. Depuis sa décision d'abandonner la chanson, il n'a cessé d'osciller entre le militantisme et des films purement frivoles. Avec Sautet et « César et Rosalie », il découvre qu'il peut lui, Montand, jouer son propre rôle au cinéma et c'est presque une série de portraits de Montand qu'il va alors offrir à l'écran : c'est « Vincent, François, Paul et les autres », c'est « Le Sauvage », « Les routes du sud »... c'est un homme que le public découvre avec stupéfaction, avec l'accent du Midi, le sien, qu'il a récupéré pour la circonstance, avec une faconde qui le fera très vite assimiler à Raimu, une candeur un peu brutale, très pudique ; une générosité folle, excessive, timide...

On lui prêtait un visage dur, de la raideur. On s'était habitué à la distance de l'acteur à l'homme, et voilà qu'on trouve un Méditerranéen jaloux, possessif, attendrissant, empêtré dans sa spontanéité, ses

▲ Avec Claude Brasseur

Scéance d'entraînement
avant le tournage
de Police Python 357 ▶

« Clair de femme » de Costa Gavras

complexes, ses exagérations... Scène sublime lorsqu'il ramène Sami Frey à la maison pour ne pas perdre la femme qu'il aime ; scène sublime encore, toujours avec Sami Frey lorsqu'il avoue à ce dernier ne pas comprendre qu'une femme puisse le quitter... sans explications. Sublime, il l'est aussi aux côtés de Catherine Allégret, la fille de Simone Signoret, dans « Vincent, François, Paul et les autres », Reggiani, Piccoli, à la fois petit enfant, petit vieillard, tellement, tellement humain. On aime alors l'acteur. Tout à coup, il est comme nous, ni héros ni dérisoire. Humain. On voudrait que l'homme lui ressemble. Il lui ressemble et c'est une révélation, comme s'il s'était trouvé, en même temps que l'on rencontrait un autre Montand, un nouvel acteur, un fabuleux acteur.

« CET HOMME ETAIT LE PLUS MAUVAIS ACTEUR FRANÇAIS, IL EST DEVENU LE MEILLEUR »

En juin 1968, la désolation régnait après l'annonce de son départ du music-hall. Elle règne encore : pourtant toute le monde s'accorde aujourd'hui à penser que si le music-hall a perdu un grand talent, le cinéma en a gagné un plus grand encore. Jean-Paul Rappeneau avec

Avec Candice Bergen dans « Vivre pour vivre » de Claude Lelouch

Montand, Brasseur, une fine équipe

qui Montand tournait en 1975 « Le Sauvage » aux côtés de Catherine Deneuve : « Ce qui frappe chez cet homme qui a été le plus mauvais acteur français, c'est qu'il est devenu le meilleur. Moi j'ai tendance à dire le meilleur. Vous imaginez ce que cela veut dire comme travail, comme acharnement, comme labeur, comme volonté, comme effort... »

Raymond Rouleau : « Il sortait de la chanson et ce n'était qu'un bon acteur de cinéma sans plus... On disait : Tiens, Montand il pourrait faire ça... Pas mal, Montand... Il était bien dans son dernier film. » Il a continué son travail de termite pour devenir le meilleur. Sans me sentir injuste vis-à-vis d'autres comédiens pour qui j'ai le plus grand respect et qui ont beaucoup de talent, il est devenu — j'insiste sur devenu — au fil des films, un homme qui peut tout faire : des rôles tragiques ou des rôles cocasses. Tout aussi bien « L'Aveu » que « César et Rosalie » ah César ! Quelle petite merveille ! César, c'est lui, mais l'on sait bien qu'il n'est rien de plus difficile que d'être soi-même à l'écran... Quand un auteur écrit un rôle pour un comédien, avec ses tics, ses hésitations, ses références à sa vie personnelle, etc., il y a beaucoup plus de possibilités, de risques d'échecs que de succès... Rien n'est plus difficile que d'être soi-même dans un rôle fait à vos mesures... »

Avec Alain Corneau sur le tournage de Police Python 357

Christian-Jaque qui a tourné « Souvenirs perdus » avec Montand en 1950 : « La qualité que j'admire chez lui, c'est son goût de la perfection, son « perfectionnisme ». Tout ce qu'il fait au cinéma — comme, hier, dans ses tours de chant — donne l'impression d'être improvisé, tellement sa décontraction est surprenante, son aisance extraordinaire ; or, tout a été réglé minutieusement, intelligemment, rigoureusement. C'est un vrai professionnel du spectacle... et quelle joie pour un metteur en scène de pouvoir le faire tourner... »

Costa Gavras : « C'est facile de faire des films de gangsters avec de belles répliques et de bonnes courses de voiture, et puis on se fait doubler quand c'est trop compliqué. Lui, il a choisi un cinéma de qualité, avec un contenu. »

Carole Laure : « J'ai beaucoup appris de Montand. Ce qui est fascinant chez lui, c'est qu'il n'a jamais atteint une sécurité profonde. Je me disais qu'un grand professionnel comme lui, qui a une carrière comme la sienne, devait arriver sur un plateau sûr de lui... Mais pas du tout ! Il a toujours les hésitations du débutant, l'angoisse et les hésitations du débutant, l'insécurité du débutant. C'est finalement comme cela que ça doit être, même si on a déjà fait trente ou quarante films. A chaque fois, un film ça doit être une nouvelle aventure. Cela m'a fasciné de découvrir cela chez quelqu'un comme Montand, qui est une star. Je me disais : « Il n'a plus rien à perdre, il a tout réussi : théâtre, chanson, cinéma où il a tourné avec les plus grands metteurs en scène. » Mais non ! Il se préoccupait le matin de réussir sa journée parfaitement ; il est énormément travailleur ; énormément discipliné aussi... De voir qu'avec son passé aussi glorieux et à son âge on puisse demeurer aussi angoissé, cela vous donne de grandes joies... »

L'angoisse. Carole Laure en parle ; tous les metteurs en scène qui ont dirigé Montand en parlent. Les amis n'évoquent jamais le personnage sans la mentionner. Elle semble être l'élément moteur, la roue qui actionne le fabuleux talent de cet homme qui n'a jamais cessé de s'épanouir, de se diversifier, d'étonner... un fabuleux talent qui aujourd'hui encore continue d'étonner.

UN ELEMENT MOTEUR : L'ANGOISSE

L'angoisse. Il l'a connue toute sa vie. Il ne s'en est jamais départi. Montand est un inquiet. Il en convient : « En fait, nous faisons tous des choses pour échapper à une forme d'angoisse. Finalement, si on ana-

Avec Romy Schneider et Sami Frey dans « César et Rosalie » de Claude Sautet

lyse bien, on n'est pas fait du tout pour bosser, ni pour cavaler. On serait plutôt fait pour vivre presque animalement. Tout ça n'existe donc que pour une question d'orgueil : « Non, ce n'est pas possible, moi je ne suis pas... Je ne suis pas simplement qu'un bœuf, ou un chien, je suis autre chose. » Oui, on est autre chose parce qu'on a pu ajuster des petits mots, des petites phrases, des petits signes, mais autrement quoi ? C'est par trouille qu'on fait tout ça, parce que le jour où l'on a vraiment du repos, le jour où l'on reste vraiment seul, au bout d'un ou deux mois, on commence à avoir la trouille, la vraie trouille. Rester enfermé à la campagne, tout seul, sans rien, c'est le « Help » tout de suite »...

Inquiet, Montand devient joueur... Il lui faut gagner, gagner à tout prix, quitte à prendre le risque de perdre de temps en temps. Il ne peut pas rester en place à savourer le succès, ni s'installer dans une forme de succès. Le succès, c'est presque aléatoire. Ce qui lui importe vraiment finalement, c'est l'enjeu qui se présente, une bataille en perspective, un défi à relever. Quand ça arrive, il n'hésite pas, il fonce. Son départ de la chanson en est une preuve mais les risques ne s'évaluent pas en preuves. Ils sont un règle de vie. Presque une philosophie. D'où sans doute la fascination et le rayonnement d'un tel homme.

La gagneur, le prêt à tout, Pierre Granier-Deferre le connaît. Le connaît et l'admire : « Il y a une chose qui détermine tout le comportement d'Yves. C'est la peur. La crainte. C'est terrible. Crainte de ce qu'on dit de lui, crainte de ce qu'on pense de lui, crainte de ne pas avoir bien choisi, crainte d'avoir trop fait ça... Alors moi je dis peur, parce que pour moi, être peureux n'est pas péjoratif. Je trouve ça

Dans « Le sauvage » de Jean-Paul Rappeneau

même émouvant. Quand les gens la surmontent, bien entendu. Lui c'est un peureux qui surmonte ça. Quand on a fait le film en particulier. Je lui ai amené le texte. C'était un rôle totalement différent de ce qui venait d'être un triomphe, c'est-à-dire « César et Rosalie », qui a fait découvrir une espèce de Montand à la Raimu, avec l'accent du Midi, etc. « Le fils » est un film tout à fait contraire, c'est-à-dire qu'il s'agit d'un rôle tout intérieur (...) C'était un film très lent, très calme. Yves a été très courageux, parce qu'il sortait des films de Sautet qui ont été pour lui une consécration. Et là d'un seul coup, c'était tout le contraire, c'était le casse-gueule absolu. Et il l'a fait magnifiquement, mais inquiet. Inquiet parce qu'il sentait... Il sent les choses mais il les fait, c'est ça qui est bien chez lui. Et à mon avis la grande explication de son comportement c'est cette peur. Cette peur de tout en fait. C'est presque son moteur. Parce qu'à force de la surmonter il fait des choses formidables. Il finit par faire des choses formidables pour se prouver à lui-même. »

◀ **Avec Gérard Depardieu, Jean-Denis Robert, Serge Reggiani et Michel Piccoli dans « Vincent, François, Paul et les autres » de Claude Sautet**

« ON DEVRAIT POUVOIR COMPRENDRE QUE LES CHOSES SONT SANS ESPOIR ET CEPENDANT ETRE DECIDE A LES VOULOIR CHANGER »

Oui, après quarante ans de carrière Montand fascine... Montand fascine toujours.

Michel Piccoli, Montand dans « Vincent, François, Paul et les autres » de Claude Sautet

L'œil pétillant, rieur ou sombre, le visage tantôt détendu, tantôt prêt à bondir, Montand intrigue. On voudrait pouvoir prendre la légende en défaut, aller plus loin, jusqu'à Ivo Livi. Mais derrière sa faconde méridionale, retranché dans ses contradictions, ses exagérations, Ivo Livi ne se livre guère. Ses forces et ses faiblesses, il les expose avec la chaleur volubile des joueurs de pétanque du Midi. Il ne les explique pas... et tout — égoïsme, foi politique, complexes, outrances, travail — prend une dimension qui repousse l'homme dans le mythe...

Montand... Un mélange complexe de candeur, de force, de frime, un mélange fragile, en dépit des apparences, plein de doute, en quête perpétuelle du beau, du vrai, pas comme les autres...

« Montand s'est forgé l'image d'un caïd. Il a l'argent, il joue au poker, il a les filles qu'il veut, il choisit ses rôles, il dirige, il est le chef. Et pourtant, il est fragile... » confie Danielle Heymann.

« Ce qui m'a toujours touché chez Yves, c'est son côté particulièrement vulnérable, en contradiction perpétuelle avec la stature et le sérieux dont il fait preuve en certaines circonstances. Cette espèce de fragilité enfantine, très sérieuse, avec une très grande conscience de ses contradictions mais une espèce de difficulté intellectuelle à les surmonter. Le secret d'Yves, c'est sa fraîcheur enfantine alliée à sa conscience. Si on parvient à lui faire exprimer les deux, on atteint au sublime. » **Claude Sautet.**

Montand, le militant, le torturé, l'écorché vif qui a fait sienne la maxime de Scott Fitzgerald, « On devrait pouvoir comprendre que les choses sont sans espoir et cependant être décidé à les vouloir changer. »

Montand, l'homme de cinquante-huit ans, qui se regarde vieillir sans plaisir et qui atteint au sublime en tournant le dos au temps, en relevant encore, toujours, le défi... « L'âge, ça vient sournoisement. Un geste qui s'arrête plus tôt que prévu. Les lunettes, la mémoire. Je me suis forcé à apprendre un mot qui ne sert à rien, comme ça pour me prouver que je pouvais : acide désoxyribonucléique. J'ai mis trois jours... »

Montand qui se tait, s'efface, fait peu de bruit... En apparence mais qui n'a pas fini, jamais, de régler ses comptes avec l'angoisse, la lucidité, l'amour du risque, l'amour tout court.

On parlait du chanteur à l'imparfait, il revient aujourd'hui avec un quarante-cinq tours, projette d'en enregistrer un trente-trois. Timidement, il avoue qu'il fera certainement bientôt un grand show à la télévision et, qui sait, nous prépare-t-il peut-être un grand retour sous les rampes du music-hall. Montand sourit, ne dément pas, ne dit rien. S'amuse de nous, les éternels groupies, s'amuse à jouer avec la vie... Il accomplira peut-être une fois encore le miracle. Ce sera alors d'interminables heures à la barre, des privations continues, des répétitions sans fin, du travail, du travail, du travail, encore une fois « la solitude du chanteur de fond » telle que Chris Marker la décrivait dans son film lorsqu'il répétait, après huit ans d'absence de la scène, le gala en faveur des réfugiés chiliens...

Avec Stefania Sandrelli dans « Police Python 357 » d'Alain Corneau

En attendant, c'est le militant, l'amoureux de vérité, le fou de lucidité qui tourne avec Henri Verneuil « I comme Icare »... L'assassinat du président Kennedy, un mystère trop trouble pour ne pas accrocher l'homme. En attendant, Montand continue d'être Yves Montand...

« Un mélange complexe de candeur, de force, de fièvre... »

FILMOGRAPHIE

1945 - ETOILE SANS LUMIERE
Réalisateur : Marcel Blistène.
Interprétation : Edith Piaf dans le rôle de Madeleine.
Yves Montand dans le rôle de Pierre.

1946 - LES PORTES DE LA NUIT
Réalisateur : Marcel Carné.
Scénario et dialogues : Jacques Prévert d'après « Le Rendez-vous »
Interprétation : Yves Montand dans le rôle de Diego.
Nathalie Nattier dans le rôle de Malou.

1947 - L'IDOLE
Réalisation : Alexandre Esway.
Interprétation : Yves Montand dans le rôle de Luc Fenton.

1950 - SOUVENIRS PERDUS
Réalisateur : Christian-Jaque.
Dialogues : Jacques Prévert.
Yves Montand dans le rôle du chanteur.

1952 - LE SALAIRE DE LA PEUR
Réalisation : Henri-Georges Clouzot.
Interprétation : Yves Montand dans le rôle de Mario.
Charles Vanel dans le rôle de Jo.
Vera Clouzot dans le rôle de Linda.

1953 -
QUELQUES PAS DANS LA VIE
Réalisateur : Alessandro Blasetti.
Interprètes : Danielle Delorme.
Yves Montand.

1955 -
LES HEROS SONT FATIGUES
Réalisateur : Yves Ciampi.
Interprétation : Yves Montand dans le rôle de Michel Rivière.

1955 - MARGUERITE DE LA NUIT
Réalisateur : Claude Autant-Lara.
Interprétation : Michèle Morgan dans le rôle de Marguerite.
Yves Montand dans le rôle de Monsieur Léon.
Fernand Sardou : le patron du café.

1956 - HOMMES ET LOUPS
Réalisateur : Giuseppe de Santis.
Interprétation : Yves Montand dans le rôle de Ricuccio.

1957 - LES SORCIERES DE SALEM
Réalisateur : Raymond Rouleau.
Adaptation et dialogues : Jean-Paul Sartre d'après la pièce d'Arthur Miller « The Crucible ».
Interprétation : Yves Montand dans le rôle de John Proctor.
Simone Signoret dans le rôle d'Elisabeth Proctor.

1957 - UN DENOMME SQUARCIO
Réalisateur : Gillo Pontecorvo.
Interprétation : Yves Montand dans le rôle de Squarcio.

1958 - LE PERE ET L'ENFANT
Réalisateur : Luis Saslavsky.
Musique : Michel Emer.
Interprétation : Yves Montand dans le rôle de Jean.

1958 - LA LOI
Réalisateur : Jules Dassin.
Dialogues français : Françoise Giroud.
Yves Montand dans le rôle de Matteo Brigante.

1960 - LE MILLIARDAIRE
Réalisateur : George Cukor.
Interprétation : Marilyn Monroe dans le rôle de Amanda Pell.
Yves Montand dans le rôle de Jean-Marc Clément.

A Saint-Paul-de-Vence, son pays d'adoption

1960 - SANCTUAIRE
Réalisateur : Tony Richardson.
Interprétation : Yves Montand dans le rôle de Candy.

1961 - AIMEZ-VOUS BRAHMS ?
Réalisateur : Anatole Litvak.
Scénario : Samuel Taylor d'après le roman de Françoise Sagan.
Yves Montand dans le rôle de Roger Desmarest.

1961 - MA GEISHA
Réalisateur : Jack Cardiff.
Yves Montand dans le rôle de Paul Robaix.

1964 - COMPARTIMENT TUEURS
Réalisateur : Costa Gavras.
Interprétation : Simone Signoret dans le rôle de Eliane Darrès.
Yves Montand dans le rôle de l'inspecteur Grazzi.
Catherine Allégret dans le rôle de Bambi.

1966 - LA GUERRE EST FINIE
Réalisateur : Alain Resnais.
Interprétation : Yves Montand dans le rôle de Diego.

1966 - PARIS BRULE-T-IL ?
Réalisateur : René Clément.
Musique : Maurice Jarre.
Yves Montand dans le rôle du sergent Marcel Bizien.

1966 - GRAND PRIX
Réalisateur : John Frankenheimer.
Interprétation : Yves Montand dans le rôle de Jean-Pierre Sarti.
Françoise Hardy dans le rôle de Lisa.

1967 - VIVRE POUR VIVRE
Réalisateur : Claude Lelouch.
Musique : Francis Lai.
Interprétation : Yves Montand dans le rôle de Robert Collombs.
Candice Bergen dans le rôle de Candice.

1968 - UN SOIR UN TRAIN
Réalisateur : André Delvaux.
Interprétation : Anouk Aimée dans le rôle d'Anne.
Yves Montand dans le rôle de Mathias.

1968 - Z
Réalisateur : Costa Gavras.
Interprétation : Yves Montand dans le rôle de Z.

1968 - LE DIABLE PAR LA QUEUE
Réalisateur : Philippe de Broca.
Interprétation : Yves Montand dans le rôle de Cesar Maricorne.

1968 - MELINDA
Réalisateur : Vincente Minnelli.
Yves Montand dans le rôle du Dr Marc Chabot.

1969 - L'AVEU
Réalisateur : Costa Gavras.
Interprétation : Yves Montand dans le rôle de Anton Ludvik.
Simone Signoret dans le rôle de Lise Ludvik.

1970 - LE CERCLE ROUGE
Réalisateur : Jean-Pierre Melville.
Interprétation : Yves Montand dans le rôle de Jansen.

1971 - LA FOLIE DES GRANDEURS
Réalisateur : Gérard Oury.
Musique : Michel Polnareff.
Yves Montand dans le rôle de Blaze.

I COMME ICARE
Film français, 1979, de Henri Verneuil.
Scénario : Henri Verneuil et Didier Decoin, d'après "La soumission à l'autorité".
Images : Jean-Louis Picavet. *Musique :* Ennio Morricone.

Achevé d'imprimer sur les presses de l'Imprimerie Lescaret, à Paris, le 8 janvier 1980.
Dépôt légal : 1er trimestre 1980 — Numéro d'éditeur : 738
ISBN 2-263-00389-4